中國道教發展史略述

南懷瑾先生著

老古文化事業公司

封面題字：孫毓芹
國際標準書號：ISBN 978-957-9480-23-9

中國道教發展史略述

南懷瑾先生 述著

丁卯 1987(76)年十二月臺灣初版
丙戌 2006(95)年十二月臺灣初版十四刷

●局版臺業字第一五九五號●

發行人：南懷瑾・郭姮妟
出版者：老古文化事業股份有限公司
地　址：台北市106金山南路二段一四一巷一號一樓（附設門市）
郵政信箱：台北郵政一一七—六一二號信箱
電　話：（〇二）二三九六—〇三三七　傳真：（〇二）二三九六—〇三四七
郵政劃撥：〇一五九四二六—一　帳戶名稱：老古文化事業股份有限公司
香港出版：經世學庫發展有限公司
地　址：香港中環都爹利街八號鑽石會大廈十樓
電　話：（八五二）二八四五—五五五五　傳真：（八五二）二五二五—一二〇一
網　址：http://www.laoku.com.tw
電子郵件：laoku@ms31.hinet.net

定價：新臺幣二二〇元整

目錄

附錄(二) 臺灣省道教會章程

附錄(三) 推介中國傳統文化主流之一的「道藏」緣起

引言

凡言中國文化學術或哲學思想史者，雖皆相提並稱儒、釋、道三家之學為其主流，而讀歷來著述及近今撰作，有關道家學術，大抵僅及於老、列、莊諸子書之思想範圍，未能周羅道家學術之全貌，深引為憾。近年以來，欲就研究之心得，筆之於書之心頗切，然初步構思其系統，牽涉過廣，既恐學力有所未逮，又慮見諸文字，須積數年之功，累百餘萬言之力方能蕆事。因循延宕，終無所成。今於溽暑中倉促完成斯稿，實不免有敷衍塞責之處，至為悚慄。

清儒紀曉嵐謂道家為「綜羅百代，博大精微」，信為篤論，然其所言曰道家，實無涉於道教也。蓋自兩漢以後，道家一變而集於道教，亦正因其「綜羅博大」之故，不免流於「雜亂怪誕，支離破碎」之弊。故言道教學術與其原本道家異同變易之關鍵，誠不易於慎密分疏。今就所述立言大意，稍加提要，俾知其未盡諸端，尚有待於他日之補苴。

本文共分為八章，皆以道教發展史為中心。因欲說明道教學術之本元，故首先簡述周、秦以前儒道等學並不分家之要點。其次，略述周末學術分家，神仙方伎與老、莊等道家思想混合，為漢末以來道教成長之原因。復次，引述魏、晉、南北朝以後至於現代道教之發展，及與道家不可或分之微妙關係。雖其內容本質，原為不一不異，但道家與道教學術思想之方向，畢竟有其嚴整之界限。唯因包羅牽涉太廣，不能盡作詳論，但擇其大要，及其演變過程之一鱗片爪，俾讀者藉此可以窺見概略，並以提供研究者知所入手，抑亦由此而瞭解秉中國文化創立之道教為何事而已。至於道教與道家學術內容，以及旁門左道等流派演變，有關于中國社會問題者，皆未及言。掛一漏萬，有待他日專書之補充。至於末章述及現代在臺灣道教會及海內外道教活動之資料，統由趙家焯先生所供給，並此以志謝忱。

第一章

道教學術思想的文化淵源

第一節　道教立教的過程

道教爲根據中國固有文化所創設之宗教，其立教的過程，追溯歷史約可劃分爲十個演變時期。

（一）中國上古文化一統於「道」。乃原始觀察自然的基本科學，與信仰天人一貫的宗教哲學混合時期。約當西曆紀元前四、五千年，中國上古史所稱的三皇五帝，以至黃帝軒轅氏的階段，爲道教學術思想之遠古淵源所本。

（二）精神文明與物質文明開始發達，從此建立民族文化具體的規模；而以政治教化互爲體用，是君道師道合一不分的時期。約當西元前二千二、三百年開始，即唐堯、虞舜、夏禹三代，爲道教學術思想的胚胎階段。

（三）儒、道本不分家，天人、鬼神等宗教哲學思想萌芽的時期。約當西元前一千七、八百年開始，自商湯至西周間，爲道教學術思想的充實階段。

（四）儒、道漸次分家，諸子百家的學說門庭分立，正逢東周的春秋、戰國時期。約當西元前七百餘年開始，是儒家與道家各立門戶，後世道教與道家學術思想開始分野的階段。

（五）諸子百家學術思想從繁入簡，分而又合。神仙方士思想乘時興起，配合順天應人的天人信仰，帝王政權與天命攸關的思想大爲鼎盛時期。約當西元前二百餘年開始，自秦、漢以至漢末，三國期間，爲道教學術思想的孕育階段。

（六）漢末、魏、晉時期，神仙方士學術與道教宗教思想合流，約當西元一百餘年開始，爲道教的建立時期。

（七）南北朝時期，因佛教的輸入，促使中華民族文化的自覺，遂欲建立自己的宗教，藉以抗拒外來的文化思想，約當西元二百年開始，爲促成道教建教的成長時期。

（八）唐代開國，正式宣佈道教爲李唐時代的國教，約當西元六百年間開始，是爲道教正式建立的時期。

（九）宋代以後，歷元、明、清三朝，約當西元九百年間開始，爲道教的演變時期。

（十）二十世紀的現在，道教實已衰落之極，五百年而有王者興，道教前途命運的興衰，將視中國文化儒、釋、道的三大主流是否眞正合一，以及東西方文化的融會貫通情形而定。在未來的世紀中，或許會另外形成一光芒四射的人類宗教亦未可知，於此唯有期諸來哲。

第二節　道教學術思想的淵源

綜觀人類各民族文化與文明的起源，其初泰半是從觀察自然，認識宇宙事物的表面現象；由於對庶物的信仰崇拜，而建立人文的哲學思想，更進而確定精神文明的基礎，諸如此類，幾已成爲世界人類文化發展的共通原則。但在世界所有各種民族中，唯有中華民族的遠古文化，應當另作別論。我們從相傳的古籍，與現在新獲得的歷史資料，可知上古的中華民族，一開始卽孕育出良好的原始科學、哲學與宗敎合一的文明；時間經歷五千餘年，空間縱橫一萬公里，直至二十世紀，與現代所謂科學時代的宗敎、哲學相接觸，吾人所能誇耀傳統，溫故而知新的，仍須仰仗上古以來列祖列宗所遺留的智慧結晶。無論現代有些中國人如何鄙棄自家故物，終有一日會翻然覺醒，開啓自己的寶藏，並擴而充之，與世界各國民族共同互助研究，進於天下太平的局面。

列舉世界科學發展的資料而言，諸如天文、數學、化學、物理等，無可否認的，應推中華民族發明得最早，歷史最悠久。從現代人的觀念而言，所可惜的是，我們往往剛有初步科學知識的發現，便立卽與宗敎、哲學互相混雜不分，故難與現代科學互爭長短。至少在過去的事實是如此，當然，對未來尚不敢置喙，但因此也可以瞭解此種文化風格，正是中華民族不同於其他民族的精神所在。

一、黃帝先後時期學術思想的初步規模

由天文學說的建立，發展爲人文學術的初步雛形：

（甲）從應用科學而言：以北斗七星來確定天體運行，與地球磁場的關係，並發明「指南車」。從日月行度、天文數字建立九章曆算的先期數學。

（乙）從理論科學而言：（子）以八卦、五行之說，歸納統攝萬象，做爲天地宇宙、人

事、物理抽象理論的法則。（丑）辨別日月行度，初步劃分星、辰爲二十八宿，以定曆法，做爲配合以農立國所需實用氣象學的張本。（寅）從效法天文、地理、物理的運動法則，創始生理、心理的無疾而先養生的學說，並爲有病而求醫藥的醫理學之根據。更由此而建立醫藥方伎的一砭、二針、三灸、四湯藥；外加精神治療與心理治療的祝由、巫覡等方法。

（丙）人文思想的發展，認識天地、神鬼、以及萬物，皆一體同根，即所謂「道」的本原。

天的觀念有二：（子）物理的天體，認識蒼蒼者之爲天。（丑）形而上理念境界的精神之天，是合物理之天，與精神境界之天而爲一，乃後世道教天道觀念的依據。

神的觀念：從天之垂象所示，可與天地上下交通而謂之神，故神字從示從申。天有天的神，人有人的神，萬物有萬物的神，是爲後世道教神道觀念的根本。

鬼的觀念：從而下墮卽爲鬼。鬼者歸也，故鬼字從田而下行，凡神散歸於地稱謂鬼，爲後世道教鬼道觀念的濫觴。

人的觀念：人秉天命而生，人的生命卽天命，與天地鬼神上下通者卽爲神。散歸於地，不能上下通者便爲鬼。天地，神鬼皆以人爲中心。

道的觀念：能生萬物而非萬物之所生，能使神而神、鬼而鬼的卽是道，歸結來說：（子）形而上的全能本體謂之道。（丑）形而下的事物法則亦謂之道。上古文化思想，以「道」之一字，上下交通，聯繫形上、形下的全環。後世道家與道教卽淵源「道」字的觀念而加以

黃帝

擴充，統攝天地、鬼神、物理、與人生的共通原則而立教。

故言道家或道教，都通稱之謂黃、老之術。其實，所謂黃帝的學術，並無專書可考，祇如司馬遷所說：「黃帝者，學者之共術也。」所謂共術，就是指中國文化的淵源，都裁定從黃帝時期開始，所以稱黃帝的學術，即是代表中國文化原始淵源的總括概念而已。後世道教稱黃帝學道於廣成子，所謂廣成這名號，有集其大成的意義。據此簡要，大概就可瞭然中華民族在上古文化學術的淵源了。

二、三代（堯、舜、禹）時期天人合一思想的規模

讀尙書翻開堯典，除了認識儒、道兩家所稱先王或先聖的政治哲學思想，皆秉作之君、作之師、作之親的精神之外，堯典所載帝堯爲政的首先要務，就是「治曆以明時」。所謂：「歷象日月星辰，敬授人時。」乃是建立一個天人之間，互相關聯的天道觀念，確定天文與曆法的重要，以爲順天應人的政治基礎。舜典所載帝舜就職的第一要務，便是繼承帝堯未竟的事業，以積極發展天文的研究，所謂：「在璿璣，玉衡，以齊七政。」因此進而建立對天地、山川、神祇的尊敬，禋柴擧燎，封禪四岳，從此建立天人關係的類似宗教信仰。同時在人文方面，定器物，制律，度、量、衡，作刑法以輔助政治教化的不足。及至大禹時代，社會文明漸趨進步，人心思想也愈趨複雜。所以在舜、禹禪讓授受之際，卽有如大禹謨所載：「天之歷數在汝躬，汝終陟元后。人心惟危，道心惟微，惟精惟一，允執厥中。」「可愛非君，可畏非民。」等告誡的記述。由此而知，三代文化自確定天、神、人三位一體的思想以後，後世儒家的天人合一學說，與道家人神同體的觀念，以及道教的敬天、事神等宗教儀式的建立，都是基於中國上古三代文明而出發，若加以神格化，便形成爲宗教思想，如加以人格化，便成中國的人文哲學，而且因此亦可瞭解中國文化何以特別注重人生哲學的根本原因之所自來。

三、夏、商、周三代文化的演變

自大禹以後，所稱夏代的文明，由大禹治水，「敷土，隨山刋木，奠高山大川」開始，繼堯、舜時代以天文爲爲政治治世的要務，漸已趨向發揮地理、物理的效用，而成爲政治世的當務之急，對於山川形勢的重視，已經超過天文觀念的政治階段。同時氏族世系與宗法社會的傳統觀念，也從此奠定基礎。但畢竟還是樸實無華的古代文明狀態，所以史稱夏代的文化，又名爲「尙忠」的階段。「尙忠」就是樸實質直，簡單誠篤的人文形態。但到商湯以後，雖仍承繼三代以來的天、地、人的文化傳統思想，却變爲特別注重天神、鬼神的信仰，類似後世所謂的「神道設教」思想，用以輔助政治的不足，故史家稱殷商的歷史精神，卽爲有名的「尙鬼」階段。後來春秋、戰國時期的墨家思想，大抵是以夏、商文化思想爲其主要的淵源。漢代以後，道教宗教部分天、人、神、鬼思想的建立，也是遠承夏、商文化思想的源流。因在夏、商歷史文明的過程中，已從堯、舜以來樸實的天文知識，漸次演變爲理論的天文思想，從此建立抽象的天文數學符號，所謂十天干：卽甲、乙、丙、丁、戊、己、庚、辛、壬、癸；十二地支：卽子、丑、寅、卯、辰、巳、午、未、申、酉、戌、亥；以及干支排比的甲子、乙丑……等六十花甲；更有五行、八卦、與干支配合，附以天神的觀念與名稱，用來解釋人事、物理等各種理論的法則，充滿神秘的宗教意味，成爲後來道家與道教所有學術思想的濫觴。周朝建國，對於上古以來的政治體制，禮樂教化等所有思想制度，一律加以整理與變革，文王、武王、周公父子兄弟三人，綜羅上古文化思想，歸納成爲一貫，極力建立以人爲本位，由人而上通天文、下及地理、旁通物理的人文文化體系；周易的文言、象辭、爻辭等，即爲周代文化思想最高原理的總滙，所以孔子推論三代以來的文明，特別贊許周代文明，爲「郁郁乎文哉」！後世儒家思想學說之所以如此演進，受其影響至深。雖然如此，但稱爲文化思想的最高理則，仍然歸納謂之「道」。是以當時的「道」，並無門牆的紛爭，亦無派別的樹立。

四、周穆王西征與神仙故事的起源

周代文化思想，雖承接夏、商以來的傳統，但已經過一番綜合修正，所以特別注重人文文化，極力邁向作之君、作之師政教合一的途徑努力，意欲達成先王王道爲政的標準。故除分封諸侯、建國自治以外，統領天下政權的周室天子，祇想作到順天應人，垂拱無爲而治的君臨天下。因此建「明堂」以示人文教化的規範，尊「宗廟」、祀「社稷」、重「封禪」以祀天而示天子的職責，表示祇是上承天命、下臨百姓，肩負溝通天人意志的責任而已。這種思想，在原則上，至少在武王姬發革命建國以來，一直影響西周達三、四百年之久，其間已經擺脫夏、商以來信仰神天的傳統，步入以人文文化爲中心的良好規模。倘若眞正了解周、秦以前，儒、道本不分家的傳統，便可知周代的思想，盡是中國上古傳統文化道家的天下。而在西周初期的一、二百年間，也的確能達到極近昇平世界的局面。然而人類的思想和慾望的追求，始終不能安於現實就得滿足，或因變亂動盪而求解脫，或因天下太平而追尋高遠，總是必然的趨勢。周代雖經文化思想和政治的革命，力求擺脫鬼神的崇拜，但人生問題，畢竟是個大謎，所以玄秘之學，仍然可與人文思想並存而不悖，尤其在已極人間富貴之後，縱使百無所求，然而對於渺茫難憑的壽命，誰又不想力求把握？於是養生之說與求長生不老之方的思想，以及玄秘之學，自然奔流競逐，仍舊隱約流行於各階層社會之間，故在西周中葉，便有穆王求道的傳說發生。穆天子外傳所稱穆王有八駿之馬，可以日行萬里，西至崑崙之巔而會見西池王母的傳述，雖然後世學者多半疑作是僞造的文章，視爲不經之談。但衡之以情理，當歸之爲事出有因，查無實據的留傳故事，要是一筆抹煞，未免有欠考慮。竹書紀年稱穆王十七年，西征崑崙，見西王母，其年王母來朝，賓昭宮，似乎亦非憑空揑造，唯所謂王母也者，究竟是神或是人，事當另須研究。古今中外，不知有多少昔日的事實，沒有被列入當時經史之內！爲了針對一般人喜歡引用證據，不肯透視內情的態度，不若以「多聞闕疑」、歸檔存查的方法來處理，較爲公允。然或多或少，已由此可以察見西周文化中早已存有道家的神仙思想，應無疑問。換言之，由道家的思想，一變而爲後來的道教思想，在周穆王時期，已經見其端倪。

西王母

第三節　道教起源於春秋戰國時期的神仙方士

到了東周幽王、厲王之世，王政不綱，原始封建政治的觀念早已有所變動，諸侯漸競霸業，時代趨勢促使才智之士的思想奔放，形成文化思想的再度變革，致使傳統一貫的道統分家。於是百家競起，有的挾學術思想以遊說諸侯，博取領導與權位；有的以講授生徒，影響社會，造成風氣，因此形成自春秋、戰國以至秦、漢初期，達三、四百年之久的學術自由風氣。其間最著名的如：後世所稱道家的代表人物，及有著述的，如老子、列子、莊子、楊朱等；所稱儒家的代表人物，如孔子、曾參、子思、孟子、荀子等，各有著述；他如以墨翟爲中心代表的墨家。以孫子、吳起等輩爲代表的兵家；以鄒衍之流爲代表的陰陽家；以申不害、韓非等人爲代表的法家；以惠施、公孫龍之儔爲代表的名家；擅長縱橫捭闔、鈎距長短之術著稱的是以鬼谷子爲標榜，如蘇秦、張儀等輩，也都能獨樹一幟，各執牛耳，而稱爲縱橫家；甚之農、工、商、學、雜說等，亦皆有專長學說可以名家。猶如現代的學術分科，都可以專精一門而得博士以名家相類似。其實，春秋、戰國時期的諸子百家，實際就是中國上古傳統文化道家一貫的分脈，司馬遷著史記，自稱祖述太史公的思想，以道家爲主，應是指的傳統文化儒、道並不分家的道家，但取以老子爲代表的道家思想而已，其最明顯而被後世人們所忽略的證據，在他所著述的史記的體例中可以見到，即他獨以孔子傳記列爲世家，卻將老、莊、申、韓合併作爲列傳，並對這四個人的生平，也只略記大意而已。後世的道家與道教，雖然推尊老、列、莊三子爲教主，爲眞人，實際上，它是綜羅了上古與三代文化思想，統攝周、秦以來的道家、墨家、陰陽家、兵家、雜家、醫藥、方伎等諸子百家之學，融合成爲一個宗教而又異乎一般宗教的道教，可謂大有類同司馬遷推崇傳統道學的精神。

當春秋、戰國期間，向來傳統一貫的道學，已演變成各主所見、各立門戶的情況，從此獨樹一幟以學術名家的風氣因而開展，故由上古以來，以觀察宇宙自然的科學家等，在高談理論的各家學派之外，其專門從事天文、地理、醫藥、養生等的科學研究者，便在諸子百家以外，與雜家會合，自成流派。但在古代輕視自然科學的技術觀念之下，一律受到鄙視，而名之謂方伎之士。其實，這類方伎之士，便是後世神仙思想的淵源，也就是後來道教中心思想的精粹。此輩以中國原始科學家見稱的方伎之士，有的從研究宇宙人生問題着手，認爲一個人可以用各種修煉方法，修到長生不老而變成神仙，最後進而與天地同休、日月同壽的境界，此等觀念，便在北方燕、齊各國朝野之間，漸漸普遍流行。如齊威宣王與燕昭王，都曾受到這種學說的影響，而使人入海遠求蓬萊、方丈、瀛洲三神山之舉，這些都是有史可徵的先期神仙事實。有的如齊人鄒衍，以陰陽五行的學說，研究天文，倡海內有九洲之說，被人視爲迂怪不經。又有燕人羨門之屬，主以方術修煉金石，服之便成爲神仙，使形銷尸解，可以依比於鬼神的伎術，也都未能被當時社會所肯信，因此後來燕、齊之士，亦極少有能盡傳其術的。大凡初期從事科學的研究者，必受世人的嗤笑與輕視，亦爲古今中外一例的事實。

莊子

列子

然而當時流行於南方的玄秘思想，如列子、莊子等人，所提出神人、眞人、仙人的人格昇華而成神化的學說，實早已受到方士神仙思想的影響。但在北方的方士道家，比較偏重丹藥養生；南方的道家，卻以精神超脫、養生適性爲主；至於兩者合流的神仙方術，實在秦、漢之後。故若推論道家神仙方士的學術，漸次演變爲後世道教的雛形，當以周代中葉爲合理的肇始時期。

一、秦漢時期的道家與神仙

到了秦始皇嬴政統一中國，不但在政治形態上一變周代以來的舊制，廢封建、置郡縣；在學術思想上，也力求統一，致使諸子百家學說，一齊都被扼殺，更談不上有新的發展。但人生畢竟是渺茫難憑，雖然富有四海、威加宇內，但一遇到生前身後的問題，不免就有四顧徬徨之感，因此始皇除了傾心上古帝王的「封禪」要想藉此上祈天神的庇護，而又以此傲視天下以煊耀自己的豐功偉績，除此自我陶醉作爲精神自慰之外，祇有乞靈於方士神仙之說，以求長生不死之方了。他從方士盧生的建議與築咸陽宮，要想以行動隱秘以求神仙眞人的降臨。又選派徐市（福）携五百童男童女入海以求丹藥，也是受方士的矇蔽，終至身死沙丘，一無所獲。但由此可見在秦始皇的時期，神仙方士等流派，並未受焚書坑儒的影響，依然甚爲活躍。卜筮、方伎、醫藥等傳述，並未置于禁例，因此種下漢代陰陽術數，神仙道士發展的根源。

徐福

二、漢初內用黃老的文景之治

漢初，人們歷經戰國以來三、四百年長期戰爭的變亂局面，以及秦始皇時代嚴刑峻法的統治，社會人心所殷切期望的，就是早日達到安居樂業的昇平世界。所以集漢高祖劉邦的豁達、蕭何等人的深通世故，與借鑑往日從政的經驗，便將政治風氣一變而以寬柔為懷，這在基本觀念上，已經吻合於道家思想的黃、老無為而治的學說。再到漢文帝執政階段，內有宮廷的變亂，外有强臣宿將，與兄弟諸王的虎視眈眈，正是危機四伏，隨時有叛亂爆發的可能。而社會人心，厭戰已極，此時此世，內外任何因素，都不適於施用剛猛的政策；因此便從其母后與曹參的主張，採用黃、老的陰柔措施；這對後來漢代三、四百年間道家思想的成長，實為最有力的促成因素。可是曹參等人之黃、老學說，乃受教於蓋公，蓋公所傳老子之學思想的內容，究竟是否完全與老子的觀念相符，實在大有問題。總之，漢初文、景時代內用黃、老的政治作風，是以無為而治為外表，以「用弱」「用反」的陰柔手段為權謀，就因為其政治策略與實施方針是以黃、老相標榜，故影響所及，造成一般社會也崇尚道家學說的風氣，眞是「上有好者，下必甚焉」！至武帝執政時代，便有所革新，由道家哲學思想的運用，轉為積極追求神仙的事實，如推究其原因，誠非無中生有而來。

三、漢武帝與神仙方士

漢初承文、景兩個朝代以來的休養生息，朝野安定，國家經濟財政，從表面看來，已甚富庶。武帝英年挺發，要想建功邊埵，洗刷自漢高祖以來的外侮恥辱，自然對柔弱爲用的政治策略不滿。他首先變更祖宗傳統的思想，以奠定其領導的方針，自然而然就走上罷黜百家，尊崇儒術的路線。但漢初以來至武帝時代的儒生，上焉者，專以傳經訓詁，考據典故、疏釋經文爲事；下焉者，但借孔、孟以來的儒學相號召，專門從事功名的競逐，已非孔、孟原來儒家師道的眞面目。這在開國不久，如蒯通等人的思想行誼上，已經表現得極其明顯。一到武帝時代，或以儒學爲主，參雜道家、陰陽家的思想，倡天人之際的新儒家學說，猶如董仲舒之流。或以因應人情，阿附人生，極盡鄉愿作風以亂儒家禮法的儒術爲尚，如公孫弘等輩。眞能發揚孔孟儒家思想學說，以王道爲政爲目的，以君師之道自任者，幾已絕響。故當時的文化思想，雖一尊孔子，其實，道家思想仍然彌漫於朝野上下。武帝晚年，酷好神仙方士之術，並不亞於秦始皇的作風。他在元光二年初祠五時，尊方士李少君爲文成將軍，祠奉竈穀道；以從少君所言。拜祠竈神可以致物，然後便可化爲丹砂，再變而爲黃金，成金以後，作爲飲食器具，就可以延年益壽。少君還慫恿武帝「封禪」以祠天帝。又常以偶中之言，說動宮廷內外，並且揚言他嘗遊海上，親見仙人安期生，服食過仙棗，其大如瓜，使大家認爲他已年過數百歲。武帝對他深信不疑，就遣使入海求蓬萊仙島與仙人安期生之屬，結果一無所獲。後來少君得病而死，武帝猶信其爲化去而未死，因此影響燕、齊之間，迂怪誕妄之士，便多來言神仙之事。武帝後來又封方士欒大爲樂通侯，以其能修丹砂煉金，役使鬼神等法術，又妻以衞長公主，富貴比埒王侯，但終因虛妄荒誕，一無所成而被殺。武帝因酷好神仙方士之術，曾立五祠，建甘泉宮，築承露盤，修造蓬萊、方丈、瀛洲、壺粱等海中神仙的假想建築；又因崇信方士之術，致使女巫可以隨便進出宮廷，終至婬亂穢聞傳達不堪，造成武帝時代有名的「巫蠱」大案，太子因此被迫自殺。神仙方士之術，原爲中國古代極具有價値的科學基礎，但一牽涉入政治，夾以富貴權位欲望，而終致貽禍無窮，若就所謂遺世獨立的眞人神仙視之，豈不啞然失笑！

總之：道家的神仙方士之術，到漢武帝之世而昌盛，開啓後來東漢、魏、晉道家神仙方術思想的基礎。再變而有北魏正式道教的形成。但相對的，所有荒謬不經，牽强附會的道術，也因漢武帝時代而發達。以後聲勢雖然稍歇，卻並未全衰，因此以滑稽諷諫見長，調和武帝之間的東方朔，也被後世冠以神仙化身的道號。吉安曾批評武帝是「內多欲而外施仁義」，確爲一針見血之言。以此求仙成道，無異緣木求魚，這不但是他的大病，也是漢代政治上因迷信於神秘之術所導致後果不堪收拾的大缺點。一般中國人傳統風俗的祠奉竈神，就是道家天神信仰的遺規，民間每年歲闌，臘月廿三夜送竈神上天的習慣，早盛行於春秋戰國時期，更經漢武帝的提倡，便一直流傳至今，現代人多半已不知其所從由來了。其餘如巫蠱邪術，漢初也已盛行。至如道家的枕中鴻寶，與有名的淮南子等書，也是武帝時代應運而出的著作。

東方朔

劉安

四、東漢重視圖讖開啟道教的先聲

東漢復國的初期，因光武與他的一班文臣武將，大半出身民間，所以一切作風，都崇尚樸實。而其政治方針，依然因循西漢的「內用黃老，外示儒術」，並未大加變動。故東漢以下的風氣，雖然不似西漢一般，大鬧其道家的神仙方士之事，但其思想範圍，仍然不脫西漢儒、道兩家的窠臼。由於光武的相信圖讖，所以影響後來陰陽術數之學與讖緯預言之說大加流行。故東漢以後，學術思想的演變，約由兩個不同的方向會歸於道教：

（甲）由於推崇象數的學者，祖述孔子傳易於商瞿的傳統，傅會五行、八卦、天干、地支等陰陽家學說，而形成爲術數的巨流，如焦贛、京房、費長房等人的象數易學，夾輔圖讖而普遍流行。再變遂有漢末的卦氣、變通、升降、爻辰、納甲等學互相摻雜。不久，又與佛教傳來的印度天象學融會，於天干、地支、二十八宿星象的觀念上，又培增神人神獸等名稱，而使天人之間，彌漫一片神秘的氣氛，成爲東漢以後道教學術胎變的依據。

（乙）由上古「祝由」巫術、咒語的流行，配合原始象形文字，及會意文字等的「圖騰」觀念，以與印度婆羅門教、瑜伽教派等流傳的咒語、法術共同交流，就變爲精煉精神作用，可以影響事物的符籙。以齋醮告天爲祈禱天神的儀式；以披髮仗劍，畫符唸咒爲神通的妙用，從此深入民間，更由民間反應到上流社會，遂使漢末自桓帝、靈帝以後，朝野上下，籠罩着一片神秘的色彩。因此採納自古以來中國文化的幕後人物，如「隱士」與「神仙」之流爲中心，加上難以解釋之精神作用的符咒，比附於讖緯、「圖騰」等學術，卽成爲漢末、魏、晉以後的道教。

第二章 道教的成長

第一節　漢末三國時期的道教

道教開始初創的時期，當推在東漢明帝時代，較爲可靠。以後歷漢末、三國、魏、晉各朝，隨時均有發展。直至北魏時代，才爲正式定型的時期。

一、諸山道士時期

當漢明帝時代，佛教已有開始傳入中國的迹象，五嶽諸山道士，由於宗教心理的驅使，奮然群起，欲與佛教一較長短；如南嶽道士褚善信，西嶽道士劉正念，北嶽道士桓文度，東嶽道士焦德心，嵩嶽道士呂惠通，諸山道士費叔才、祁文信等一千三百一十人，上表奏稱與佛教較法之事，見載於佛道論，事非純出虛構。由此可知秦、漢以來的方士，到東漢以後，已經漸有道士之稱，他們隱居各地名山大澤，大有人在，漢書司馬相如傳所謂：「列仙之儒，居山澤間，其形甚癯。」當時雖然沒有正式建立成爲一大宗教，却因受到外來宗教的刺激，已隱然生起抗拒的運動。

二、張道陵的創教時期

到漢末桓帝、靈帝時代，有沛國人張道陵（初名陵），本是太學諸生，博通五經，及其晚年，忽然感歎讀書無益於年命之事，遂學長生之道，自稱得黃帝九鼎丹法，因無資財合藥，聞蜀人純厚，易於教化，乃與弟子入蜀，居鵠鳴山中，著作道書二十四篇。陳壽在三國志張魯傳中，稱其爲「造作道書，以惑百姓，從受學者，出五斗米，故世稱米賊。」後世又稱其爲五斗米道。陵死，子衡行其道；衡死，魯復行之。到了張魯行道的時期，已經據有東川，掌握實際的地方行政權，設官置吏，皆以鬼神之道命名，儼然爲一路諸侯，而執掌政教合一的實權，對於四川政局，有舉足輕重之勢，實爲中國歷史上施行地方宗教政治的第一人。

三國志張魯傳云：「魯遂據漢中，以鬼道教民，自號師君。其來學道者初皆名鬼卒，受本道已信，號祭酒，各領部衆，多者為治頭大祭酒。皆教以誠信不欺詐，有病自首其過，大都與黃巾相似。諸祭酒皆作義舍，如今之亭傳，又置義米肉，懸於義舍，行路者量腹取足，若過多，鬼道輒病之。犯法者，三原然後乃行刑，不置長吏，皆以祭酒為治，民夷便樂之。」

後來張氏子孫，又遷居於江西龍虎山，自宋元以後，歷代封號尊之爲天師，與山東曲阜孔氏世家媲美千古，誠爲異數。雖然國內外研究道教的人士，普遍認爲張道陵爲道教的創造人，其實是不合史實的。所謂張道陵的創教，祇是一時的權宜之計，且其志有限，他最初的動機，也祇爲身家而謀，並非具有遠大眼光的宗教家。

張道陵

三、魏伯陽的弘揚神仙學術

由於春秋、戰國以來的神仙方士之術，與老子、莊子的玄學，以及陰陽術數與周易的學術，出此入彼，互爲矛盾。至於東漢期間，便有吳人魏伯陽，認爲周易及老、莊之學，與修煉丹藥而成神仙的方術，原理互通，彼此原爲一貫，乃援周易、老、莊，神仙丹道三種學問，融合貫通而著參同契一書，以說明修煉神仙方術的不易原則，而使丹道修煉方法，成爲有體系、有科學基礎的哲學理論。於是神仙丹道之學，由此大行，參同契一書，也成爲千古丹經鼻祖，後世道教與神仙家，尊崇魏伯陽爲火龍眞人。其所著書，誠爲中國科學與哲學的不朽鉅著，也爲後來道教奠定中心思想的基石。

四、黃巾張角的旁門左道

漢末靈帝中平元年，鉅鹿人張角，號稱事黃、老之術，以妖言惑衆，遣弟子散遊四方，轉相誑誘，十餘年間，設立三十六方。所謂方者，猶如漢代政制的大將軍。大方萬餘人，小方六七千人，各立渠帥，欲圖謀反。事敗，張角卽馳敕諸方，一時俱起，皆衣著黃巾的標誌，角自稱天公將軍，其弟寶稱地公將軍，梁稱人公將軍，由此而天下大亂。類此以道術惑衆，如後世宋元之間的白蓮教、清末的太平天國、與義和團等拳匪鬧事之流；凡借用宗教之名相號召，陰圖政治的運動者，應當引爲殷鑑。

魏伯陽

典略曰：「熹平中，妖賊大起，三輔有駱曜，光和中，東方有張角，漢中有張脩。駱曜教民緬匿法，角為太平道，脩為五斗米道。太平道者，師持九節杖為符祝，教病人叩頭思過，因以符水飲之，得病，或日淺而愈者，則云此人信道；其或不愈，則為不信道。脩法略與角同，加施靜室，使病者處其中思過。又使人為姦令祭酒，祭酒主以老子五千文使都習號為姦令為鬼吏，主為病者請禱。請禱之法，書病人姓名，說服罪之意，作三通；其一上之天，著山上，其一埋之地，其一沉之水，謂之三官手書。使病者家出五斗米以為常，故號曰五斗米師。實無益於治病，但為淫妄，然小人昏愚，競共事之。後角被誅，脩亦亡，及魯在漢中，因其民信，行脩業。遂增飾之，教使作義舍，以米肉置其中，以止行人。又教使自隱，有小過者，當治道百步，則罪除，又依月令，春夏禁殺；又禁酒。流移寄在其地者不敢不奉。」

五、漢末著名的道士

以上引據的事，皆爲北魏時代擴張道教最爲有力的先聲，如張道陵、魏伯陽等道術，後來成爲道教正一派的符籙，與正統神仙丹道的兩大主流。當漢末、三國期間，時逢亂世，怪誕傳說繁興，凡事出有因，查無實據，而又爲當時與後世樂於稱道的神仙故事，爲道家神仙傳等書所採信錄取的，如劉晨、阮肇、麻姑、費長房、鍾離權、左慈、于吉等人，皆爲後世道教確信爲神仙之流，不下一二百人。大凡宗教中人，其生平行事，若不類似神奇，就不足爲號召。何況神仙之事。本來就以特立奇行、異乎常人相標榜，於是仰慕道術仙人的信念，就彌漫朝野，普遍存在于社會各階層之間了。

但促使漢末、三國、魏、晉之間道家發展的，約有三個原因、兩種趨勢。

所謂三個原因：

（甲）由於東漢末期士大夫世家門閥觀念的形成，凡士大夫的世家子弟，遂成爲占據要津，把持上層社會，壟斷知識思想，造成漢代有名的「黨錮」之禍。致使高明才智之士，相率逃避現實，走向賢者避世，其次避地的隱士生涯，以慕道求仙相掩護，就造成白日飛昇與尸解等故事，於是道成仙去之說，益見流行。

（乙）漢末朝政腐敗，外戚、宦官、巨室，互相操持政權，豪門、巨族，奴役隸卒，私相歛財，於是武勇之士，便遊俠江湖，聚衆據險以自固，並且利用圖讖之說與道術相號召，形成據地稱雄的力量，漸啓以道術組織宗教的形勢。

（丙）佛教的輸入，促使民族文化抗拒思想的發生，儒家的訓詁釋義，章句注疏之學，既不能饜足人心的哲學思潮，而佛教哲學，又如天際神龍，見首而不見其尾，挾雷霆萬鈞之勢，源源輸入，於是醉心玄眞，寄情高遠之士，極力尋求周易、老、莊的幽微，及神仙方士的修煉方法，擬與佛法一爭高下，乃產生道家哲學的理論根據。

兩種趨勢：

（甲）凡出身讀書，失意仕途的知識份子，轉用符籙、咒語等道術起家、嘯聚徒衆，以役使鬼神，替天行道的宗教觀念相號召，如張道陵等人，其最初的動機，雖沒有獨立創教的企圖，但已開展組織宗教的趨勢，而開啓中國特殊社會的宗教組織之規模。

（乙）由戰國以來，墨家鉅子的風氣，與遊俠之流的存在民間社會，傳統不衰。當漢高祖崛起隴畝，統一天下的時代，俠義的鉅子，潛在民間，如朱家、郭解之流，便有東西南北等諸道的存在。「儒以文亂法，俠以武犯禁。」他們都是唯恐天下不亂，希望乘亂而起的中堅份子，在西漢之末，狡者與赤眉、銅馬賊黨相合流；賢者遂一反其正，隨光武而中興。流風所及，一到東漢桓、靈之末，與妖言惑衆的旁門左道，如張角之流相接觸，便自然成爲烏合之衆的謀反力量。但也由此使道家方術，與墨家尚義，及遊俠精神相結合，而成爲中國特殊社會，參雜了宗教形成的前因。

第二節　魏晉時期的道家

一、許旌陽的豐功偉績

道家在漢末一變，而有張道陵的道術，後來成爲江西龍虎山天師世家的道統，宋元以後，又成爲道教一大派系而稱爲正乙派。但在東晉時期，許旌陽在江右以道術整治南昌、九江間的水利，提倡傳統文化的孝道，創立淨明忠孝教，其平生行誼，豐功偉績，永銘人心，神仙傳中記載，稱其功成德就之日，拔宅飛昇，猶如漢代傳奇淮南王鷄犬飛昇的故事。他在道教中的地位，被尊爲歷代仙班中數一數二的富貴神仙，對於後世道教的影響極大，雖與張道陵創教的時代不同，而且南轅北轍，互不相關，但其箴揚南方道家思想，深入世俗人心，成爲民間習俗所稱道教中的江西廬山道法，與江南句容的茅山道法互爲雄長，成爲道教建教的功臣，洵非偶然。

按：據十二真君傳所稱：「許真君，名遜，字敬之，本汝南人。祖琰，父肅，世慕至道。東晉尚書邁，散騎郎常侍護軍長史穆，皆真君之族子也。真君弱冠，師大洞君吳猛，傳三清法要。鄉擧孝廉，拜蜀旌陽令。尋以晉室紛乱，棄官東歸，因與吳君同遊江左，會王敦作亂，二君乃假為符祝求謁於敦，蓋欲止敦之暴而存晉室也。而敦意已決，凡非之者必致死，適威怒而殺郭璞，真君卽擲杯梁間，飛舞不停，因敦等擧目觀飛杯之際，卽隱身遁去，後遂擧家避亂於江西，往來於廬山、南昌之間，相傳以法術斬蛟怪而安豫章之水厄，贛人感戴其功德，歷世不衰，郡人相習南昌省會每年秋季朝拜萬壽宮之擧，卽為祠真君之遺風也。真君以東晉孝武帝太康二年八月一日，於洪州（南昌）西山，擧家四十二口，拔宅上昇而去，唯有石函，藥臼各一，車轂一具，與真君所御錦帳，復自雲中墜於故宅，鄉人因其地置遊帷觀焉云云」。又有傳稱：「遜為蜀旌陽令，既歸，父老送之如雲，有不返者。乃於宅東隙地，結茅以居，狀如營壘。多改氏族以從許姓，號許家營。」

許旌陽

許眞人以弘揚忠孝爲敦品立德之本，以立功濟世爲普利民生之基，其道功修煉的方法，並重男女夫婦雙修，具房中正統的法術。據淨明忠孝錄所載，眞人雖有主張男女雙修之說，但諄諄告誡，如非具大功大德者，切勿妄圖，否則，必致身敗名裂，下墮泥犁。蓋欲完成人間富貴而又飛昇上界而作神仙，必須砥礪德行，方合於自助天助的宗旨。由此可見許旌陽創建忠孝爲主的道教，完全是傳統文化儒道本不分家的道德主張。其平生行誼，較之張道陵創五斗米道的作風，雖形同而實異。

二、抱朴子的富貴丹砂

當東晉時期，道家學術思想，隨晉室而南渡，許旌陽創道教於江西，抱朴子葛洪修煉丹道於廣東，此皆道家犖犖大端的事實。葛洪著作等身，留爲後世丹經著述，及修煉丹道的規範，成爲晉代列仙中的傑出奇才。道家相傳「葛、鮑雙修」的術語，就是指葛洪與其丈人南海太守上黨鮑元，都是不捨夫婦家室之好而成爲神仙的榜樣。

按：晉書本傳云：「洪字稚川，丹陽句容人也。祖系，吳大鴻臚，父悌，吳平後入晉，為邵陵太守。洪少好學，家貧，躬自伐薪以貿紙筆，夜輒寫書誦習，以儒學知名。性寡欲，無所愛翫，不知棊局幾道，摴蒱齒名。為人木訥，不好榮利，閉門却掃，未嘗交遊。於餘杭山見何幼道郭文舉，目擊而已，各無所言。時或尋書問義，不遠數千里，崎嶇冒涉，期於必得，遂究覽典籍，尤好神僊導養之法。從祖元，吳時，學道得僊，號

葛洪

曰葛僊公，以其煉丹秘術，授弟子鄭隱。洪就隱學，悉得其法焉。後以師事南海太守上黨鮑元，元亦內學，逆占將來。見洪深重之，以女妻洪。洪傳元業，兼綜練醫術，凡所著撰，皆精覈是非，而才章富贍。太安中，石冰作亂，吳興太守顧秘為義軍都督，與周玘等起兵討之，秘檄洪為將兵都尉，攻冰，別率破之，遷伏波將軍。冰平，洪不論功賞，徑至洛陽，欲搜求異書以廣其學。洪見天下已亂，欲避地南土，乃忝廣州刺史稽含軍事。及含遇害，遂停南土多年，征鎮檄命，一無所就。後還鄉里，禮辟皆不赴。元帝為丞相，辟為掾，以平賊功，賜爵關內侯。咸和初，司徒王導召補州主簿，轉司徒掾，遷諮議參軍。干寶深相親友，薦洪才堪國史，選為散騎常侍，領大著作，洪固辭不就。以年老欲煉丹，以祈遐壽，聞交阯出丹砂，求為勾漏令。帝以洪資高不許。洪曰：非欲為榮，以有丹耳。帝從之。洪遂將子姪俱行。至廣州，刺史鄧嶽留不聽去。洪乃止羅浮山煉丹，嶽表補東宮太守，又辭不就。嶽乃以洪兄子望為記室參軍。在山積年，優游閑養，著述不輟」。

按：葛洪自序抱朴子的著作宗旨去：「洪體乏進趣之才，偶好無為之業，假令奮翅，則能陵厲元霄，騁足則能追風躡景，猶欲戢勁翮於鷦鷯之群，藏逸迹於跛驢之伍，況大塊禀我以尋常之短羽，造化假我以至駑之蹇足，自卜者審，不能者止，又豈敢力蒼蠅而慕冲天之舉，策跛鼈而追飛兎之軌。飾嫫母之篤陋，求媒陽之美談，推沙礫之賤質，索千金於和肆哉。夫僬僥之步，而企及夸父之蹤，近才所以躓礙也。要離之羸，而強赴扛鼎之勢，秦人所以斷筋也。是以望絕於榮華之塗，而志安平窮圯之域，藜藿有八珍之甘，蓬華有藻棁之樂也。故權貴之家，雖咫尺弗從也。知道之士，雖艱遠必造也。考覽奇書，既不少矣，率多隱語，難可卒解，自非至精不能究，自非篤勤不能悉見也。道士宏博洽聞者寡，而意斷妄說者衆，至於時有好事者，欲有所脩為，倉促不知所從，而意之所疑，又無足諮。今為此書，粗舉長生之理，其至妙者，不得宣之於翰墨，蓋粗言較略，以示一隅。冀憤悱之徒省之，可以思過半矣。豈謂闇塞，必能窮微暢遠乎！聊論其所先覺者耳！世儒徒知服膺周孔，莫信神仙之書，不但大笑之，又將謗毀真正。故予所著子言黃白之事，名曰內篇。其餘駁難通釋，名曰外篇。大凡內外一百一十六篇，雖不足藏諸名山，且欲緘之金匱，以示識者。自號抱朴子，因以名書。」其餘所著碑誄詩賦百卷。移檄章表三十卷。神仙良吏隱逸集異等傳各十卷。又抄五經史漢百家之言，方技雜事三百一十卷。金匱藥方一百卷。肘後要急方四卷。洪博聞深洽，江左絕倫，著述篇章，富於班馬。又精辯元頤，析理入微，後忽與嶽疏云：當遠行尋師，尅期便發。嶽得疏，狼狽往別。而洪坐至日中，兀然若睡而卒。嶽至，遂不及見。時年八十一，視其顏色如生，體亦柔軟，擧尸入棺，甚輕如空衣。世以為尸解得仙云。」

葛洪所著抱朴子傳述的丹道，以煉服藥物而成神仙爲主，以棲神存想爲用，實爲傳統方士派的正統學術，並非後世道家專主身心內景，以性命雙修爲煉丹宗旨，故葛洪亦擅長醫藥，尤精於外科。所著抱朴子的外篇，又包括立身處世、政法策略與兵法軍事等思想，可以媲美莊了、淮南子等道家名著。東漢時，魏伯陽著參同契，曾已指出道家法術流派的混雜，所謂旁門左道，歸納的說：「千條有萬餘。」葛洪在抱朴子中，也曾記述方士之流的妖言惑衆，自欺欺人者不計其數，他指出有人自稱已活了八百多歲，親自看見孔子出世，手撫其頂，許其將來可做聖人云云。由此可見道家者流，誑妄虛誕之輩，混跡其間，比比皆是，古已如此，於今更甚，這是道教最大的流弊。宋代張君房撰雲笈七籤，彙集道術精華的大成，可以概見宋代以前道教的大要。但從抱朴子中彙述神仙方士的記載，也可概見秦、漢以來直到兩晉道家的大略。但葛洪對於魏伯陽參同契的學術，一字未提，似乎葛洪當時，並未親見其書，或因限於古代的時代環境，學術交流，良亦不易。

三、魏晉玄學與道家思想

大凡言中國學術思想或哲學史者，對魏、晉人的「清談」與「玄學」，皆列爲中國文化演變的主題。關於「玄談」興起的背景，多數認爲由於政治環境與思想風氣所形成，大都忽略兩漢、魏、晉以來朝野社會，傾向求仙的風氣，與神仙道士等解釋「三玄」之學，如周易、老子、莊子的丹經思想。能知此者又不通於儒家的俗學，明於彼者又不識道家的丹訣，故不兩捨而不言，就偏彼而重此。倘若更能了解漢末、魏、晉以來神仙道士的思想，久已占據人心，且具有莫大的潛力，那對於魏晉「玄談」興起的原因，就可瞭如指掌了。

漢末、魏、晉時代，上至帝王宮廷，與士族巨室，下至販夫走卒，由於世家宿信仙人的觀念，已相沿成習，猶如二十世紀初期的中國智識分子，十之八九，世家傳統，都是信仰佛道兩教。但身為智識分子，讀書為求明理，且心存君國，志在博取功名官爵，要求富貴而兼神仙，毫無疑問必為背道而馳。而傳統思想習慣，又已深入人心，雖心嚮往之，在表面上，又不得不加駁斥自以鳴高。於是神仙道士們所提倡「三玄」之學，一變而為空言理論的「清談」，乃是勢所必然的演變，何況時衰世亂，避世避地既不可能，而當時佛教還未普遍建立規模，所以也無從逃佛逃禪，猶如五代人才的脫屣軒冕，相率入佛。與其說「玄學」的興起，由於哲學思潮的刺激，毋寧說是魏晉知識分子對於神仙道士追求形而上的反激。例如曹魏建安父子兄弟的著作，已可窺見漢末因玄想而引起的曠達意境。他如東晉的世家士族，若王謝等家，也都是崇奉道士們的道教，如晉書王羲之傳稱：

「羲之次子凝之，為會稽內史。王氏世事張氏五斗米道，凝之彌篤。孫恩之攻會稽，寮佐請為之備，凝之不從，方入靜室請禱，出語諸將佐曰：吾已請大道，許鬼兵相助，賊自破矣。既不設備，遂為孫恩所害。」

又如謝靈運兒時，其家為求其易育，曾寄養於天師道的治所。他如東晉諸名士的學術思想，不入於道，即接受新興的佛學，大體祇有成分多少的分別，並非絕無影響的可能。

東晉范寧常謂王弼、何晏之罪，深於桀紂。如云：「王何蔑棄典文，幽沉仁義，游辭浮說，波蕩後生，以至禮樂崩，中原傾覆，遺風餘俗，至今為患，桀紂縱暴一時，適足以喪身覆國，為後世戒。故吾以一世之禍輕，歷代之患重，自喪之惡小，迷衆之罪大也。」

其實，以「玄學」或「玄談」的興起，一概歸之王弼、何晏，未免過分，且亦不明其思想淵源之所本，殊非篤論。但自「玄談」興盛，使道家論神仙丹道的學術，在思想上，更有理論的根據與發揮，形成爲後來道教的哲學基礎，實由「玄學」而開闢其另一途徑。

四、道佛思想的衝突與調和

當魏、晉時期，佛教傳入與佛經翻譯事業，已開展其奔騰澎湃之勢，西域佛教名士如支謙、支亮、支遁等人，留居中國，且與魏、晉時期國內諸名士，都有密切交往，學問切磋，也彼此互有增益，事載於佛道兩教典籍者姑不具引。即在六朝叢書如世說新語中，亦可知見一斑。國內佛教名僧如道安、僧肇等輩，都是深通中國文化如「三玄」等學，甚之，援道家名辭理念而入佛學，乃是非常普通的事實。初在廬山創建淨土宗的慧遠法師，原本修習道家丹法，後來服膺佛教，創念佛往生西方極樂淨土的法門，與道家的棲神、煉神方法，又極類同。西域來華名僧如鳩摩羅什，對於老、莊之學，尤其熟悉，故翻譯佛經，引用「道」、「功德」、「居士」、「衆生」等等名辭，如數家珍，也都是採用儒道本不分家的道家語，此在中印文化思想的交流，佛、道兩教教義的調和，已理有固然的走上融通途徑。至於修煉的方法，佛教禪定之學，與道士修煉內丹之方，其基本形式與習靜養神的根柢，完全形似。佛家出家觀念，與道家避世高蹈的隱士觀念，也極相同。佛家密呪、手印與道術的符籙法術，又多共通之處，於是融合禪定、瑜伽、丹道而爲一的後世正統道家內丹修煉方法，便於此時深植種子。

從以上的引述，已可簡略窺見魏、晉道家的風氣，由漢末的演變，積極趨向形成道教爲宗教的路線，約可歸納爲兩個原因：

（甲）時衰世亂，政局不穩，戰爭頻仍，地方勢力的割據形勢，與依附衆望所歸的士族集團以自保者，隨處有人。高明之士，如許旌陽、慧遠等人，有鑒於黃巾張角之流的禍害甚烈，但取宗教的思想與方法，作爲避地高蹈，保境安民的教化，自然而然形成爲一共同信仰的力量。同時自張道陵、張魯子孫所創的五斗米道，漸已成爲具有歷史性的組織，漸漸與各種道派合流，形成後來道教的具體力量，也是勢所必然的結果。

（乙）佛教思想的傳入，使有識之士，對於神仙道士的超神入化之說，愈有信仰研究的興趣。且鑒于佛教的教義與修證方法，具有系統而理論有據，於是「談玄」與修煉「丹法」，也漸求洗煉而趨於有理論的根據，與有系統的途徑，如葛洪對丹道的彙編而著抱朴子。他如稽叔夜著養生論，爲後世道士取爲神仙可學的資料。慧遠著神不滅論，後來影響南朝沈約之作形神論、神不滅論，亦爲後世道家取爲神仙理論的張本。

總之：中國文化，自上古而至周、秦時期，由儒、道本不分家開始。再由春秋戰國時期學術分家，使道家與方士的衆術脫穎而出。復由漢末、三國而至魏、晉時期神仙方士的蛻變，漸漸形成北魏時期擴張而成的道教，在政治地位上，正式與佛教互爭宗教的教權。由於以上的簡引略述，大致已可見其概況。

第三章

道教的擴張

第一節　北魏時代道教的建立與道佛之爭

晉室東渡以後，文化思想與政治局面，相互自爲因果。社會不安與思想散漫，連百餘年之久。外有佛教文化源源輸入，一變歷來從無統一信仰某一宗教的習慣，內有道士神仙思想的普遍發展，促使中國文化中儒、道兩家學術的再度混合，擴張爲一新興的宗教——道教。由此擴展到北朝社會，在政治上開始道、佛兩教的互爭雄長，彼此爭取宮廷及士大夫們的信仰以推行其教化，而促使此種情況成爲表面化，一變兩晉以來各派道士的各自爲政，號召團結群力而成爲教爭的力量，應推北魏時代最爲熱烈。此時領導道教運動的人物，當然以北魏朝的天師寇謙之爲其中堅分子，今綜合魏書釋老志、道教神仙傳、及中國佛教史傳部分等的記述，簡介寇謙之建立道教，與道、佛兩教的紛爭事實如次：

「北魏世祖時，道士寇謙之，字輔真，雍州人。早好仙道，修張魯之術，服食餌藥，歷年罔效。有仙人成公興，求謙之為弟子，相與入華山居石室。與採藥與謙之服，能不飢。又共入嵩山石室。尋有異人，將藥與謙之，皆毒蟲臭物，謙之懼走。與歎息曰：先生未仙，正可為帝王師耳。未幾與仙去，謙守志嵩山，忽遇大神，乘雲駕龍，導從百靈，集於山頂，稱太上老君。謂謙之曰：自天師張道陵去世以來，地上曠職，汝文身直理，吾故授汝天師之位，錫汝雲中新科二十卷，自開闢以來，不傳於世。汝宣吾新科，清整『道教』，除去三張偽法，租米錢稅，及男女合氣之術。大道清虛，寧有斯事，專以禮度為首，加以服食閉煉。使玉女九嶷十二人，授謙之導引口訣，遂得辟穀，氣盛，顏色鮮麗云。」

據此可知，由漢末、魏、晉以來張道陵所創的教法，以及神仙道士的丹訣等，一到北魏寇謙之時代，遂加以變更，成爲正式的道教，從此捧出教主太上老君的稱號，同時又改變張道陵以來以中國名山大澤的名勝洞府做爲教區的傳統，轉移其神仙管理人間的治道，一變爲人、鬼、天、神互相交通，建立天上人間一體的道教系統的雛形，如云：

「奉常八年，十月戊戌，有牧土上師李譜文來臨嵩岳，云老君之元孫，昔居代郡桑乾，以漢武之世得道為牧土宮主，領治三十六土人鬼之政，地方十八萬里有奇，（蓋歷術一章之數也。）以嵩岳所統廣漢，平土方萬里，以授謙之，作誥曰：吾處天宮，敷演真法，受汝道年二十二歲，除十年為竟蒙，其餘十二年教化，雖無大功，且有百授之勞。今賜汝遷入內宮，太真太寶九州真師，治鬼師，治民師，繼天師，四錄，修勤不懈，依勞復遷。賜汝天中三真太文錄，劾召百神，以授弟子。文錄有五等：一曰：陰陽太官。二曰：正府真官。三曰：正房真官。四曰：宿宮散官。五曰：並進錄。主壇位禮拜衣冠儀式，各有差品，凡六十餘卷，號曰：錄圖真經，付汝奉持，轉佐北方泰平真君，出天宮靜輪之法，能興造克就，則起真仙矣。又地上生民，末刼垂及，其中行教甚難。但令男女立壇宇，朝夕禮拜，若家有嚴君，功及上世。其中能修身服藥，學長生之術，即為真君種民。藥別授方，銷鍊金丹雲英八石玉漿之法，皆有訣要。」又言：「二儀之間，有三十六天，中有三十宮，宮有一主（按：此數字，皆由漢儒易經象數觀念而來）。最高者無極自尊（按：此乃易經太極觀念與列子學說之變辭）。次曰：大至真尊，次：天覆地載陰陽真尊，次：洪正真尊，姓趙名道隱，以殷時得道，牧土之師也。（按：此爲宋元以後民間道教觀念洪鈞老祖的張本）」

又言：「經云佛者，昔於西胡得道，在四十二天為延真宮主，勇猛苦教，故其弟子皆髡形染衣，斷絕人道。」云云。

崔浩的弘揚道教與排佛

寇謙之初奉其書，而獻之魏世祖，乃令謙之止於張曜之所，供其食物。時朝野聞之，若存若亡，未全信也。權臣崔浩獨異其言，因師事之，受其法術，於是上疏力事讚揚，世祖欣然，乃崇奉為天師，顯揚新法，宣布天下，道教大行。及嵩岳道士四十餘人至，遂起天師道場於京城之東南，重壇五層，遵其新經之制，給道士百二十人衣食，齋肅祈請，六時禮拜，月設廚會數千人。及世祖討赫連昌歸，尤重其預言而中。謙之奏請世祖登受符書，以彰聖德，世祖從之（按：此爲唐宋以後，帝王接受道教授籙的先聲）。於是親至道壇，受符籙，備法駕旗幟盡青，以從道家之色也。自後諸帝每繼位，皆如之。寇謙之卒時，年八十四，正月間，先示弟子謂夢中成公興召之於中嶽仙宮，五月二十七日，果羽化，有清氣若烟，自其口出，屍體引長，量之八尺三寸，三日以後漸縮，至飲，量之長六寸。於是諸弟子以為尸解變化而去，能不死也。後又有人見之於嵩山之頂云云。」

由以上簡略的引據，可見在北魏時代，寇謙之正式建立道教的規模。及至魏武帝時代，引起道、佛兩教爭端的主要人物，實際上是信奉謙之天師的弟子權臣崔浩所主動。其動機，當由於狹隘的宗教心理作祟，同時，亦由佛教本身自有流弊而促成其事，如佛教典籍佛祖歷代通載所記云：

「元嘉二十三年，魏太武三月，西伐長安，與崔浩皆以為佛法虛誕，為世費害，宜悉除之。及魏主討蓋吳，至長安入佛寺，沙門飲從官酒，從入其室，見大有兵器，出白太武，太武怒曰：此非沙門所用，必與蓋吳同謀欲為亂耳。命有司按誅合寺僧，閱其財產大有釀具，及州郡牧守富人所寄物以萬計。又為窟室以匿婦人（按：或爲掩蔽逃難婦女而設，亦不可知。），浩因說帝，將誅天下沙門，毀諸經像，帝從之，寇謙之切諫以為不可，浩不從。先盡誅長安沙門，梵燒經像。還宮，敕臺下四方，命一依長安法。太子素好佛法，屢諫不聽，乃緩宣詔書，使遠近聞之，得各為計。沙門多匿亡獲免，收藏經像。塔廟在魏境者，無一孑遺。迨太子繼位為文成帝，召復佛教。後浩以修國史得罪，夷五族而死，果報甚慘云云。」

但自北魏永平二年以後，沙門自西域來者，三千餘人，魏主別爲之立永明寺千餘間以處之。到了延昌年間，北魏佛教，州郡共有一萬三千餘寺。梁武帝在南朝方面，亦大事修造佛寺，這在中國宗教史上，實爲佛教的一大盛事，當然會引起諸山道士的反感，也是理所必然的事。由以上的徵引，可見道教在北魏時代，自道士寇謙之開始，綜合秦、漢、魏、晉的神仙方士之術，及役使鬼神、符籙、法術等流派，形成初期正式道教的規模，從此而代有充實，一變綜羅複雜的道家學術，成爲比較純粹宗教性的道教，奠定道教儀式的齋懺醮儀等規矩，而爲唐宋以後道教教儀的根據。若以進化史的觀念論斷，從此以後研究道教，則較爲有條理系統可循。如從原始道家學術的立場言之，則有南橘北枳之異，醍醐變爲乳酪，精華散失，猶存糟粕之感矣。

第二節　南朝的道教與陶弘景

自寇謙之在北魏創建道教成爲正式的宗教以來，不但在北朝已深植根基，由此漸及南朝六代，亦普開風尚。當此時期，佛教的傳佈基礎已立，但未能獨步天下的原因有二：

（一）由於民族意識的反感，士大夫們據傳統文化中儒家所標榜的三綱五常爲之力爭，而斥佛教爲無父無君的異端。

（二）因道教外冒黃、老的傳統，內主老子、列子、莊子的思想，與神仙方士的學術，以及儒、道不分的形態，無論在政治地位，以及朝野信仰上，或明或暗，隨處與之抗衡對立。

但風氣所及，所有六朝學術與文學的著作，普遍的共通思想，都已不離道、佛兩家的範圍。因歷史背景與社會風氣的影響，朝野上下，在百餘年間，都被道、佛思想所左右，並且皆以此種思想形態，籠罩一切。尤其到了南朝的梁武帝，遂在這種思想風氣的潮流中，成爲時代的犧牲者。因梁武帝篤信佛、道兩教，曾親自三度捨身僧寺爲奴，宣講佛經，而又同時親講老子，並且亦崇尚孔、孟之學。他不但對三教有同好，而其興趣尤多偏重超脫的出世情調，在行爲生活方面，有許多地方，儼然如一宗教家。可惜時代造英雄，使他作了皇帝，倘使他一生從事學術或宗教的研究，也許在千秋事業的成就上，較爲一代之雄更爲偉大。唐代賢臣魏徵論史，對於梁武帝與宗教關係，曾有最中肯的論斷，如云：

「高祖固天攸縱，聰明稽古，道亞生知，學為博物，允文允武，多藝多才。爰自諸生不羈之度，屬諸凶肆虐天倫之禍，糾合義旅，將雪家冤，曰紂可伐，不期而會，龍躍樊漢，電擊湘郢，翦離德如振槁，取獨夫如拾遺，其雄才大略，故不可得而稱矣。既懸白旗之首，方應皇天之眷，而布澤施仁，悅近來遠，開蕩蕩之王道，革靡靡之商俗，大修文學，盛飾禮容，鼓扇玄風，闡揚儒業，介冑仁義，折衝樽俎，聲振寰區，澤周遐裔，干戈載戢凡數十年，濟濟焉！洋洋焉！魏晉以來未有若斯之盛也。然不能息末敦本，斲雕為樸，慕名好事，崇尚浮華。抑揚孔墨，流連釋老，幾終夜不寐，或日旰不食，非弘道以利物，唯飾智以驚愚。且心未遺榮，虛厠蒼頭之位。高談脫屣，終戀黃屋之尊。

夫人之大欲，在乎飲食男女。至於軒冕殿堂，非有切身之患。高祖屏除嗜慾，眷戀軒冕，得其所難而滯其所易，可謂神有不達，智有所不通矣。」又如新唐書蕭瑀傳贊曰：「梁蕭氏興江左，實有功在民，厥終無大惡，以浸微而已，故餘社及其後裔。」以此驗魏徵之論，益見其為平允。

陶弘景調和道佛的主張

梁武帝酷好道、佛兩教，故兩教的奇才異能之士，亦應運而興。在佛教，有寶誌（沿稱誌公）禪師、傅善慧大士等人，傑出諸方，在梁武帝朝中處於師友之間的關係。在道教，有貞白先生陶弘景，隱居修道於句容茅山，亦與梁武帝處于師友之間，時人號爲山中宰相。如史所云：

「梁處士陶弘景，仕齊為奉朝請，棄官隱居茅山。梁主早與之遊。及卽位，恩禮甚篤，每得書，焚香虔讀。屢以手敕招之，弘景不出。國家每有大議，必先諮之，時人謂之山中宰相。」將歿，為詩曰：夷甫（王衍字）任散誕。平叔（何宴字）坐空論。豈悟昭陽殿，遂作單于宮。蓋因時人競談玄理，不習武事，弘景故作詩譏之。」

陶弘景在南朝的政壇上是負有時代重望的人物，而其畢生致力學術的方向，始終以修道煉仙爲目的，從南北朝的道教史而論，他與北魏時代的寇謙之，都是建立道教的中堅分子。但寇謙之是以純粹道教的宗教姿態從事傳道的活動。陶弘景猶有道家老、莊的風格，參合神

陶弘景

仙方士的道術，介乎入世出世之間，隱現風塵，遊戲三昧。而他的道家思想已經滲入佛家思想的成分，而且是趨向融會道、佛兩家思想與方法的前趨。至於修煉神仙與採用道術的方法，注重養生丹藥而近於抱朴子，故亦著有關於醫藥方伎的肘後百一方等書。但在天人的觀念上，他亦如寇謙之一派，注重齋醮儀的祈禱，著有道教著名內典的眞誥一書。但對於神仙事業的地位，他與抱朴子及寇謙之等觀念，又有迥然不同之處，如其所著眞靈位業圖序云：

「夫仰鏡玄精，覩景耀之巨細。俯盼平區，見巖海之崇深。搜訪人綱，究朝班之品序。研綜天經，測眞靈之階業。但名爵隱顯，學號進退，四宮之內，疑似相參。今正當比類經正，讐校儀服，埒其高卑，區其宮域。又有指目單位，略說姓名，或任同秩異，業均迹別者，如希林真人，為大微右公，而領九宮上相，未委為北宴上清，當下親相職耶。諸如此類，難可必證。謂其並繼所領，而從高域粗，事事條辨，略宜後章。輒以淺識下生，輕品上聖，升降失序，梯級乖本，懼貽謫玄府，絡咎冥司。今所詮貫者，實禀注之奧旨，存向之要趣，祈視跪請，宜委位序之尊卑，對真接異，必究所遇之輕重。雖同號真人，真品乃有數。俱自仙人，仙亦有等級千億。若不精委條領，略識宗源者，猶如野夫出朝廷，見朱衣必令史。句驪入中國，呼一切為參軍。豈解士庶之貴賤，辨爵號之異同乎。

關於道、佛兩教學術的爭執，當北齊之際已有正式下詔敕諸沙門與道士達者，如陸修靜等，親自校對法術理論的事實。及南朝梁武帝時代，道、佛兩教的紛爭，雖愈趨尖銳，但在修煉證眞的思想與方法上，已經開始融通互會，漸次入於同流的趨勢，名士如沈約、劉勰，隱士如何點、何胤。佛教法師如慧文、曇鸞等人，都是領導此一風氣的人物。尤其如陶弘景對於道、佛兩教的論斷，當時已有極其深刻的名言，如其答朝士訪仙佛兩法體相書云：

「至哉嘉訊，豈蒙生所辨。雖然，試言之：若直推竹柏之匹桐柳者，此本性有殊，非今日所論。若引庖刀湯稼，從養溉之功者，此又止其所從，終無永固之期。夫得仙者並有異乎此。但斯族復有數種，今且談其正體，凡質象所結，不過形神，形神合時，則是人是物。形神若離，則是靈是鬼。其非離非合，佛法所攝。亦離亦合，仙道所依。今問以何能而致此仙，是鑄煉之事極，感變之理通也。當埏埴以為器之時，是土而異於土，雖燥未燒，遇濕猶壞，燒而未熟，不久尚毀，火力既足，表裏堅固，河山可盡，此形無滅。假令為仙者，以藥石煉其形，以精靈瑩其神，以和氣濯其質，以善德解其纏，衆法共通，無礙無滯，欲合則乘雲駕龍，欲離則尸解化質，不離不合，則或存或亡，於是各隨所業，修道進學，漸階無窮，教功令滿，亦畢竟寂滅矣。」

中國文化，自上古至三代爲一變，歷商以至周代開國之初又爲一大變。在春秋、戰國時期又爲一變，自秦、漢歷南北朝至於唐初開國爲一大變。漸次及於宋、元之際爲一變，再由明、清兩代至於現代，又爲一大變。當魏晉南北朝時期文化巨變的主因，實因西北邊疆民族的侵凌，以及佛教文化輸入的刺激所引起。歷時約經二百餘年，佛經翻譯，與佛教傳佈事業的開展，由教（宗教儀式）理（哲學根據）行（修證方法）果（實證圓成）有系統的迻譯，已漸次滲入成爲中國文化思想的主流，且已普遍爲國人所接受，而又加以融會闡述。因此漸有中國佛教各宗的興起，一變印度佛教而成爲中國的佛教，尤其融通儒、道兩家思想而崛起爲中國禪宗的成長，更促使南北朝服膺道教及篤信神仙修證者流相率努力，遂有綜合儒、道、墨、法、名家等精要，而擴展爲唐代以後道教的規模。然所遺憾者，自戰國以來的道家傳統，雖亦師弟相繼，但皆時異勢易，以隱密秘傳爲能事，並無直接授受的踪跡可尋。故到南北朝之間，雖北有寇謙之，南有陶弘景，亦皆各自爲政，不能聯合統一，使其學術思想成爲一貫而有具體的組織，以此與有傳承嚴整的佛教相較，自然處處遜于一籌了。

第四章 道教的建立

第一節　唐初開國與道教

一、唐高祖的尊奉道教

自古中外的宗教，其根本雖然都建立在群衆的信仰上，但它的發展，大都仰仗帝王政權的崇奉而取得優勢。如果宗教也可以範圍於命運之說，則道教的命運，一至於唐初開國，實爲鼎盛時期，此時不但在政治地位上，有所保障，且在民間信仰上，也足與當時的佛教分庭抗禮。道教從此穩定基礎與展開後來的局面，全仗大唐天子與老子是同宗的關係，誠爲不可思議的史實。

史稱：當唐高祖（李淵）武德三年五月，據太原起家而稱帝的時候，因晉州人吉善行，自言在平陽府浮山縣東南羊角山（一名龍角山），見白衣老父曰：「爲吾語唐天子，吾爲老君，吾爾祖也。」因此便下詔在其地立老子廟。及唐太宗當政以後，便正式册封老子爲道教教主太上老君，從此唐代宗室宮廷，雖都信仰佛教，亦同時信奉道教不輟。到玄宗時代，老、列、莊三子之書，便正式改名爲道教的眞經；老子稱爲道德經，列子稱爲清虛經，莊子稱爲南華經。道教之隆，前無其盛。然其宗教儀式與內容，自南北朝以來，已受佛教影響，大多皆援用佛教制度而設置，至唐代更爲明顯，此亦古今中外，所有宗教，大都潛相仿效的常例。

玄宗雖隨祖宗遺制，同時崇奉道、佛兩教，且親受道教法籙，具有道士的身份，從此開後來唐代帝王常有受籙的規矩，同時也使寵擅專房的楊玉環（貴妃）皈依道教，號爲太眞，開後來唐室內廷宮嬪出爲女道士的風氣。故中唐之世，宮廷內外。朝野名流，與女道士之間的風流緋聞，隨處瀰漫著文學境界的浪漫氣息，例如女道士魚玄機的公案，與詩人們贊詠懷思女道士的作品，俯拾皆是。

但道教在唐代雖然成爲正式的宗教，並與佛教具有同時的政治地位，然自南北朝以來，道、佛兩教的爭競，其勢仍未稍戢。當初唐之際，互爭尤烈，如史稱唐初三教之爭云：

「武德七年二月丁巳，高祖（李淵）釋奠於國學，召名儒僧道論義，道士劉進喜問沙門惠乘曰：悉達（釋迦）太子六年苦行，求證道果，是則道能生佛，佛由道成，故經（佛經）曰：求無上道。又曰：體解大道，發無上心。以此驗之，道宜先佛。乘曰：震旦之於天竺，猶環海之比鱗洲；老君與佛先後三百餘年，豈昭王時佛而求敬王時之道哉？進喜曰：太上大道，先天地生，鬱勃洞靈之中，煒燁玉清之上，是佛之師也。乘曰：按七籍九流，經國之典，宗本周易，五運相生，二儀斯闢，妙萬物之謂神，一陰一陽之謂道，寧云別有大道先天地生乎？道既無名，曷由生佛？中庸曰：率性之謂道。車胤曰：在己為德，及物為道，豈有頂戴金冠，身披黃褐，鬢垂素髮，手執玉璋，居大羅之上，獨稱大道，何其謬哉！進喜無對。已而太學博士陸德明隨方立義，偏析其要。帝悅曰

：三人皆劾敵也。然德明一舉輒蔽之，可謂賢矣。遂各賜之帛。」

這是初唐開國時期，宗教在御前辯論的第一回合，參加主要的對象，是道、佛兩教的重要人物，但其結論，却以儒家爲主的陸德明作了公允的評判，而且最後折衷，歸之儒理。後來開始道、佛兩教劇烈爭競的人物，雖然陰由宮廷的推波助瀾，而主使其事，當推太史令（類似現代的天文臺長等職）傅奕爲主。

「武德八年（乙酉）太史令庚儉，耻以術官，薦傅奕自代。奕在隋為黄冠（道士），甚不得志。既承革政，得志朝廷。及為令，有道士傅仁均者，頗閑曆學，奕舉為太史丞，遂與之附合，上疏請除釋教事，十有一條。疏奏，不報。九年，太史令傅奕，前後七上疏請除罷釋氏之教，詞皆激切。後付廷議，宰相蕭瑀斥奕為妄，且云：地獄正為此人設也。高祖復以奕疏，頒示諸儒，問出家於國何益？時有佛教法師法琳，作破邪論二卷以陳。」

「是歲夏四月，太子建成，秦王世民，怨隙已成，將與內難，傅奕毀佛益力，乞行廢教之請，高祖因春秋高而遲遲未決。及法琳等諸僧著論辯之，合李黄門內德論，同進之于朝。帝由是悟奕等謷道毀佛為協私，大臣不獲已，遂兼汰二教，付之施行。五月辛巳，詔書有云：正本澄源，宜從沙汰，諸僧、尼、道士、女冠，有精勤練行，守戒律者，並令就大寺觀居止，供給衣食，不令乏短。其不能精進無行業，弗堪供養者，並令罷道，各還桑梓。所司明為條式，務依教法，違制之坐，悉宜停斷。京城留寺（佛寺）三所，觀（道觀）三所，其餘天下各州，各留一所，餘悉毀之。六月四日，秦王以府兵平內難，高祖以秦王為太子，付以軍國政事。是月癸亥，大赦天下，停前沙汰二教詔。」

由此可見道、佛兩教的爭競，在初唐高祖時代，已經牽涉到宮廷內幕的大案，凡古今中外，宗教與政治，始終結爲不解之緣，殊足發人深省。

二、唐太宗與道、佛兩教

貞觀十一年，唐太宗到了洛陽，忽然對道、佛兩教的地位，下了一道制立憲法式的詔書，又引起佛教徒的一次抗議，結果無濟於事。他的詔書內容與事實經過，如史稱：

「帝幸洛京，下詔曰：老君垂範，義在清虛，釋迦貽則，理存因果。求其教也，汲引之迹殊途。論其宗也，弘益之風各致。然大道之興，肇于邃古，源出無名之始，事高有形之外，況國家先宗，宜居釋氏之右。自今已後，齋供行位，至於稱謂，道士女冠，可在僧尼之前。庶敦返本之俗，暢於九有，貽於萬葉。詔書頒發，京邑沙門，各陳極諫，有司不納。」

唐太宗既以老子爲祖宗，下了一道無須爭辯的詔書，而佛教徒中，偏有一個不通時務的老實人，硬要與之力爭教徒的政治地位，結果被流放於嶺南而卒，由此而見宗教心理的強頑，可笑亦甚可敬。如云：

「時有沙門智實者，洛下賢僧也。豐度雋穎，內外兼明。携諸宿德，隨駕表奏於闕口，其略曰：僧某等言：年迫桑榆，始逢太平之世。貌同蒲柳，方值聖明之君。竊聞父有諍子，君有諍臣，實等雖在出家，仍在臣子之列，有犯無隱，敢不陳云。伏見詔書，國家本繫出自柱下，宗祖之風形於前典，頒告天下，無德而稱。今道士在僧尼之上，奉以周旋，豈敢拒詔。尋其老君垂範，治國治家，所佩服章，初無改易，不立觀宇，不領門人，處柱下以全真，隱龍德而養性，今道士等不遵其法，所著冠服並是黃巾之徒，實非老子之裔。行三張之鬼術，棄五千之玄言，反同張陵，謾行章醮，從漢以來，常以鬼道化於浮俗，托老君之後，卽是左道之苗，若在僧尼之上，誠恐國家同流，有損國化。遂以道經及漢、魏諸史，佛先道後之事，具陳如左。太宗覽表，壯其志為教，遣宰相岑文本論旨遣之。實固執不奉詔。帝震怒，杖實于朝堂，民其服，流之嶺表而卒。初，實得罪，有譏其不量進退者。實曰：吾固知己行之詔不可易，所以爭者，欲後世知大唐有僧耳！聞者莫不歎惜。」

唐初開國，崇奉道教的動機與宗旨，純出政治因素；是爲攀宗引祖，以光耀帝王先世的門楣，初非如秦皇、漢武，或梁武帝等人，爲求道成仙，以期長生不死爲目的，亦非深究其教義學術，而有所軒輊於其間。然道教地位的確定，恰因此而深植根柢。後來唐太宗在貞觀二十年間，佛教的名僧玄奘法師，自印度取經回國，從事佛經翻譯的事業，大開譯場，所有精神力量的支持，與經費的供給，亦全賴太宗的扶植。太宗與玄奘之間，雖是君臣，而情猶師友，甚之他想要說服玄奘還俗來作宰相，並且親自爲之製作著名的佛教文章——聖教序。

雖在帝王專制的政治時代，但唐太宗對於宗敎信仰自由的作風，非常通達而合理，也並不因爲與老君同宗的關係就欽定道敎而爲國敎。

自初唐兩敎互爭地位之後，歷世道、佛敎徒，雖仍有小爭執，但皆無關宏旨，且因高宗以後，禪宗的興盛，道、佛合流的風氣，已漸趨明朗，中國文化的會通，也因之底定基礎。肅宗以後，學術思想新興的浪潮，由韓愈一篇諫迎佛骨表開始，遂轉入唐以後的儒家與道、佛二氏的爭論，促成南北宋間理學的崛起，已非南北朝時代兩敎爭衡的局面了。佛敎有會昌之難，因武宗年少不更事，對於宗敎獨有偏好之所致，但爲時亦僅四、五年，卽告平息。誠如新唐書所云：

「武宗毅然除去浮屠之法甚銳，而躬受道家法籙，服藥以求長年，以此知非明智之不惑者，特好惡不同耳。」

第二節　新興道教的呂純陽

初唐時期，基於帝王宗室觀念，雖尊奉道敎在佛敎之上，但自唐太宗貞觀二十年以後，因玄奘法師留學印度歸來，從事佛經的迻譯，使佛敎學術與傳敎事業，由此普及朝野。高宗以後，佛敎復開展爲十宗學派，由此確立中國佛敎的精神。禪宗的興起，融會儒、道、佛三家精粹，闡明心法，譬如孔雀開屛，聲光普耀，從此影響唐代文化，無微不入，雖門庭敵對

孫思邈

如道教，亦已漸漸受其波動，互相援引挹注。道家隱士如孫思邈，一生修習神仙丹訣而兼通佛法。禪師一行，以佛教出家比丘而兼通道家的陰陽術數之學，以及天文、地理等學術，別創「大衍曆」而成爲一代宗師，玄宗敬以國師之禮。如宋代大儒歐陽修，雖其生平反對佛教最切，但對於一行禪師的生平，敬服備至。此皆舉其素爲人所習知犖犖大者而言，至於名山巖穴之士，隱跡仙人，尤不勝枚舉。

晚唐以後，有呂純陽眞人，忽自崛起於道教之間，卓然特立，歷宋、元、明、清千餘年而至現代，幾如太上老君的副亞。自元朝以來，又被尊封爲孚佑帝君，其聲望之隆，震撼中外，可謂唐代新興道教的革命神仙，殊非張道陵、寇謙之、葛洪、陶弘景等先知所及。

呂眞人本傳云：

「呂嵒，字洞賓，世為河中府永樂縣人。曾祖延之，終浙東制度使。祖渭，終禮部侍郎。父讓，海州刺史。貞元十四年四月十四日巳時生，母就蓐時，異香滿室，天樂浮空，一白鶴自天飛下，竟入帳中不見。生而金形木質，道骨仙風，鶴頂龜背，虎體龍腮，翠眉層稜，鳳眼朝鬢，頸修顴露，額濶身圓，鼻梁聳直，面色黃白，左眉角一黑子，左眼下一黑子，筋頭大如功曹使者狀，兩足下紋，隱起如龜。性敏，日記萬言，矢口成文。既長，身長五尺二寸，喜頂華陽巾，衣白黃襴衫，繫大皀縧，狀類張子房。二十不娶。始在襁褓，馬祖（禪宗大師）見之，曰：此兒骨相不凡，自是風塵物表，他時遇盧則居，見鍾則扣，留心記取。後遊廬山，始遇火龍真人，傳天遁劍法。自是混俗貨墨於人間，號純陽子。咸通中，擧進士第，時年六十四歲。後遊長安酒肆，見一羽士，青巾白袍，長髯秀目，手携紫筑，腰掛大瓢，書三絕句於壁：一曰『坐臥常携酒一壺，不教雙眼識皇都，乾坤許大無名姓，踈散人中一丈夫。』二曰『得道真仙不易逢，幾時歸去願相從，自言住處連滄海，別是蓬萊第一峯。』三曰『莫厭追歡笑語頻，尋思離亂可傷神，閒來屈指從頭數，得到清平有幾人。』洞賓訝其狀貌奇古，詩意飄逸，因揖問姓氏，羽士曰：吾鍾離其姓，權其名，雲房其字。所居在終南鶴嶺，可從予此行否？洞賓因隨雲房同憩肆中，雲房自起執炊，洞賓忽欲昏睡，枕案追假，夢以擧子赴京，狀元及第，始自州縣小官擢朝署，由是臺諫給舍、翰苑秘閣郎、曹從歷諸清要，無不備歷，升而復黜，黜而後升。前復兩娶富貴家女，婚嫁蚤畢，孫甥振振，簪笏滿門，如此幾四十年。最後獨相十年，權勢薰炙，忽被重罪，籍沒家資，分散妻孥，流於嶺表，一身孑然，窮苦憔悴，立馬風雪中，方此浩歎，恍然夢覺。雲房在傍，炊尚未熟，笑曰：黃梁猶未熟，一夢到華胥。洞賓驚曰：君知我夢耶？雲房曰：子適來之夢，升沉萬態，榮悴多端，五十年間一頃耳，得失不足喜，喪何足憂，且有大覺，而後知此人間世事，真大夢也。洞賓感悟慨歎，知宦途不足戀矣。再拜曰：先生非凡人也，願求度世術。雲房詭曰：子骨節未完，志行未足，若欲度世，須更數世可也。翩然別去，洞賓怏怏自失，棄官歸隱，雲房自是十試洞賓皆過。一日，忽一人撫掌大笑而下，即雲房也。謂洞賓曰：塵心難滅，仙才難值，吾之求人，甚於人之求吾也。吾十度試子皆過了，得道必矣，但功行尚有未完。吾今授子黃白秘方，可以濟世利物，使三千功滿，八百行圓，吾來度子。洞賓曰：所作庚辛有變異乎？曰：三千年後，還本質耳。洞賓愀然曰：誤三千年後人，不願為也。雲房笑曰：子推心如此，三千八百，悉在是矣。因與洞賓敍其得道來歷：曾遇苦竹真君，謂吾曰：汝此去遊人間，若遇人有兩口者，卽汝弟子。吾後徧遊山海，竟未見人有兩口者，今詳君姓，實符苦竹之託矣。又曰：君能從我遊乎？洞賓因隨之至鶴嶺，授受將畢，忽有二仙，綃衣霞彩，手捧金簡寶符云：上帝詔鍾離權為九天金闕選仙使，謂洞賓曰：吾卽昇天，汝好住世間，修功立德，他時亦當如我。洞賓再拜曰：嵒之志，異於先生，必須度盡天下衆生，方上昇未晚也。宋太祖建隆初，洞賓自後苑出對，上稱朱陵上帝，以火德王天下，留語移時，語秘不傳。上解赭袍玉帶賜之，俄不見。上命繪像于太清樓，道錄陳景元傳其像於世。政和中，宮禁有祟，白晝現形盜金寶，姦妃嬪，獨上所居無恙。自林靈素、王文卿諸侍宸等治之，息而復作，上精齋虔禱，奏祠凡六。一日晝寢，見東華門外有一道士，碧蓮冠，紫鶴氅，手持水晶如意，前揖上曰：奉上帝命，來治此祟。良久，一金甲丈人，捉劈而啗之且盡。上問：丈夫何人？道士曰：此乃陛下所封，崇寧真君關羽也。上勉勞再四，復問：張飛何在？羽曰：張乃臣累刼兄弟，今已為陛下生于相州岳家，他日輔佐中興，飛將有功焉。上問卿姓名，曰：臣姓陽，四月十四日生。夢覺錄之，召侍宸言之，意其為洞賓也。自是宮禁帖然，遂詔天下，有洞賓香火處，皆正妙通真人之號，蓋自此始。其詞曰：朕嘉與民，偕之大道，凡厥仙隱，具載册書，而況默應禱祈，宜示恩寵。呂真人，匿景藏文，遠遹游方，逮建福庭，適有寓舍，歎茲符契，錫以號名，神明儼然，尚垂昭鑒，可封妙通真人，塑像於景靈宮，歲時奉祀焉。」

按：呂眞人本傳事跡，於史無據，純出道教中人的自記，然千古相傳，凡言道家神仙事者，皆奉爲信籍而無疑義。續道藏並擴充易編而成爲呂祖志。在宋元時代禪宗的記載，又有洞賓遇黃龍禪師的公案，言之鑿鑿，信佛者，皆奉此認爲洞賓爲同路人，信道者，則否認禪宗語錄，認爲妄誣，要皆無傷呂純陽曠代名仙的事跡。而本傳中亦言及禪宗馬祖曾在洞賓兒時，許爲異常人物，可見當時道、佛互涉，與呂純陽後來創立融通道、佛的新道教，早已有其所本，又如據呂純陽在江州望江亭的自記云：

「吾京川人，唐末三擧進士不第，因遊江湖間，遇鍾離子，受延命之術。尋又遇苦竹真君，傳日月交拜之法。久之，適終南山，再見鍾離子，得金液大丹之功。年五十，道姑成。世多稱吾能飛劍戮人者，吾聞之笑曰：慈悲者佛也。仙猶佛爾，安有取人命乎？吾固有劍，蓋異於彼。一斷貪嗔，二斷愛慾，三斷煩惱。此其三劍也。吾成道以來，所度者何仙姑、郭上竃二人，吾嘗謂世人奉吾真，何若行吾行。既行吾行，又行吾法，不必見吾，自成大道。不然，日與吾遊何益哉！」

按：據此自記的內容，呂純陽平常多作佛家語，其爲融合道、佛宗旨方法而創新興的道教，不待言而可知。又如呂純陽之自著丹訣百字銘，融通道、佛修煉方法的精要，更爲透澈

呂洞賓

，如云：

「養氣忘言守，降心為不為，動靜知宗祖，無事更尋誰，真常須應物，應物要不迷，不迷性自住，性住氣自回，氣回丹自結，壺中配坎離，陰陽生返復，普化一聲雷，白雲朝頂上，甘露洒須彌，自飲長生酒，逍遙誰得知，坐聽無絃曲，明通造化機，都來二十句，端的上天梯。」

晚唐時期，新興道教的呂純陽眞人，影響後來千餘年而至於現代的道教，旣深刻而又普遍，凡國內外崇信道教的人，未有不尊敬祀奉呂祖爲眞正神仙，名山大澤之間，純陽眞人的祠廟，隨處可見，每與佛寺浮圖，山光水色，互爭千古。善男信女，香花明燭，朝拜呂祖的勝跡，也到處皆是。柳宗元稱韓退之爲「匹夫而爲百世師，一言足爲天下法。」如援引其語，作爲道教神仙呂純陽的評價，亦有殊途同歸的感覺，其爲人中之雄，當無愧色。

元、明以後，民間流傳的道教神仙故事，如八仙過海等傳說，都是以呂純陽爲中心人物，八仙中漢代仙人鍾離權，即爲呂純陽之師；唐代仙人李鐵拐、張果老，爲呂純陽之友；何仙姑、韓湘子、藍采和、曹國舅皆爲呂純陽的友弟輩。明、清以後，道家分派如南、北、西、東四派的仙師，也都以呂純陽爲其嫡傳始祖。其望重千秋，功侔三清的氣概，有使張道陵、寇謙之等人，爲之減色不少。

總之：呂純陽新興道教的宗旨與傳統，是以直接上承東漢時代正統道家魏伯陽的丹法爲道統，大有擺脫道教的宗教形式而別具風格。若從純粹的道家立場而言，以其比擬佛教禪宗的大師，如百丈、馬祖、黃檗、臨濟師徒，並無遜色。由秦漢以來，迄於晚唐的道教，一向皆在魚龍混雜、支離破碎的狀態中。自呂純陽以後，正統道家與道教，忽然別有一番面目。因此產生宋、元以後，道教各宗的道派與丹法，猶如禪宗在晚唐以後，興起五家宗派的盛況，實在皆由呂純陽新興道教而開始。

第五章

道教的演變

第一節　宋初儒道歸元的華山隱士陳希夷

唐末五代以來，華夷混雜，變亂相仍的局面，又造成歷史的巨變。而在文化思想方面，佛教有禪宗的興盛，涵融中印文化於一爐。道教除了前蜀有杜光庭的宏揚提倡，並撰作科醮，意造經文以外，因為有命世仙人呂純陽的首倡，以溝通禪宗直指身心性命之學，與道家修煉生命之術，合而成為性命雙修的丹道之故，漸已調和六七百年來道佛兩教的諍論而歸於一致。自唐末到宋初百餘年間文化思想的明爭暗鬪，已經不再是昔日道、佛兩教間的爭執，而是士大夫們新儒家學說振興的結果，造成排斥佛、道兩教學說為異端的思潮暴漲。到了宋太祖趙匡胤乘陳橋兵變登位以後，他以軍人而兼學者的典型，酷好文學。加以宰相趙普的質樸無華，因少年失學，自己謙稱以半部論語治天下的老實作風，早已種下開啓宋代新文化運動的因緣。後來又有范仲淹的篤實純樸，與大臣富弼等，極力獎掖文人學士的自由講學風氣，致使兩宋間五大儒應運而出，創建宋代儒家理學的宗派，使儒家走上比類宗教的途徑，確立後世並稱儒、釋、道三家為中國文化主流的傳統。質實言之，開創理學五大儒的思想，不是援禪講理，如周敦頤、二程兄弟等，即是援道入儒，如朱熹、邵康節等。因此，又促成宋末元初道教的演變，而有王重陽、丘長春師弟們所建立的「全眞道教」，足與唐代呂純陽的新興道教媲美千古，且與張道陵世系的天師道互爭雄長。宋、元之間學術思潮的三家交熾，使不學無術的大元帝室政權左右依違於三家文化的暗潮中，無法自主，僅數十年間，便促使其壽終正寢。此一原因，往往爲古今研究中國文化學者所忽略，深資嗟歎！

宋初開國時期，陰受道家思想影響甚大，就中關係最深的人物，當推華山隱士陳摶（希夷）。但陳摶雖爲後世道家尊爲神仙的宗祖，其實他的學術路線是上承秦、漢以先儒、道本不分家的道學，大有異於唐末呂純陽的丹道學派。陳摶亦爲唐末的不第進士，因少懷大志，生當亂世，亦如隋朝的文中子王通，自有澄清天下之志，後來因年事日長，閱歷學問加深，頗感時不我與，卽歸隱華山高臥，曾作詩以明其志，如云：「十年踪跡走紅塵，回首青山入夢頻，紫綬縱榮爭及睡，朱門雖富不如貧，愁聞劍戟扶危主，悶聽笙歌聒醉人，攜取舊書歸舊隱，野花啼鳥一般春。」後來聽說趙匡胤陳橋兵變，黃袍加身，而被擁戴爲帝王，遂額手稱慶曰：「從此天下定矣。」因此人皆尊其有未卜先知之能。他的易經象數的「太極圖」、「河洛理數」等學說，數傳到後來的邵康節，而成就一位象數易學的千古通儒。同時又因他的「太極圖」與河圖、洛書、圖象等的流傳，致使周濂溪援取道家思想而作太極圖說。朱熹因服膺邵康節的學術思想，乃致力學習道家的象數，而有明代國子監流傳的監本易經及周易集註，與周易書本首先冠以太極圖、河圖、洛書等之推廣。

從來神仙傳記，傳說頗多不同，關於陳摶的生平，也不例外，今略錄其文，以爲參考：

按：宋史本傳：「陳摶字圖南，亳州真源人。始四五歲，戲水岸側，有青衣媼乳之，自是聰悟日益。及長，讀經史百家之言，一見成誦，悉無遺忘，頗以詩名。後唐長興

陳摶

中，舉進士不第，遂不求祿仕，以山水為樂。自言嘗遇孫君仿麞、皮處士。二人者，高尚之人也。語摶曰：武當山九室巖可以隱居。摶往棲焉。因服氣辟穀，歷二十餘年，但日飲酒數杯。移居華山雲臺觀，又止少華石室，每寢處，多百餘日不起。周世宗好黃白術，有以摶名聞者，顯德三年，命華州送至闕下，留止禁中月餘，從容問其術。摶對曰：陛下為四海之主，當以致治為念，奈何留意黃白之事乎？世宗不之責，命為諫議大夫，固辭不受，既知其無他術，放還所止，召本州長吏，歲時存問。五年，成州刺史朱憲陛辭赴任，世宗命齎帛五十匹，茶三十斤賜摶。太平興國中來朝，太宗待之甚厚。九年復來朝，上益加禮重，謂宰相宋琪等曰：摶獨善其身，不干勢利，所謂方外之士也。摶居華山已四十餘年，度其年近百歲，自言經承五代離亂，幸天下太平，故來朝覲，與之語，甚可聽。因遣中使送至中書，琪等從容問曰：先生得元默修養之道，可以教人乎？對曰：摶山野之人，於時無用，亦不知神仙黃白之事，吐納養生之理，非有方術可傳，假令白日沖天，亦何益於世。今聖上龍顏秀異，有天人之表，博達古今，深究治亂，真有道仁聖之主也。正君臣協心同德、興化致治之秋，勤行修煉，無出於此。琪等稱善，以其語白上，上益重之，下詔賜號希夷先生，仍賜紫衣一襲，留摶闕下，令有司增葺所止雲臺觀，上屢與之屬和詩賦，數月放還山。端拱初，忽謂弟子賈德昇曰：汝可於張超谷鑿石為室，吾將憩焉。二年秋七月，石室成。摶手書數百言為表，其略曰：臣摶大數有終，聖朝難戀，已於今月二十二日化形於蓮花峯下張超谷中。如期而卒，經七日支體猶溫，有五色雲蔽塞洞口，彌月不散。摶好讀易，手不釋卷，常自號扶搖子，著指元篇八十一章，言導養及還丹之事，宰相王溥，亦著八十一章以箋其指。摶又有三峰寓言及高陽集、釣潭集詩六百餘首。能逆知人意，齋中有大瓢，挂壁上，道士賈休復心欲之，摶已知其意，謂休復曰：子來非有他，蓋欲吾瓢爾。呼侍者取以與之，休復大驚以為神。有郭沆者，少居華陰，夜宿雲臺觀，摶中夜呼令趣歸，沆未決，有頃，復曰：可勿歸矣。明日沆還家，果中夜祖母暴得心痛幾死，食頃而愈。華陰隱士李琪，自言唐開元中郎官，已數百歲，人罕見者。關西逸人呂洞賓，有劍術，百餘歲而童顏，步履輕疾，頃刻數百里，世以為神仙；皆數來摶齋中，人咸異之。大中祥符四年，真宗幸華陰，至雲臺觀，閱摶畫像，除其觀田租。」

按：龐覺希夷先生傳：「先生姓陳名摶，字圖南，西洛人。生於唐德宗時，自束髮不為兒戲，年十五，詩禮書數及方藥之書，莫不通究，及親喪，先生曰：『吾向所學，足以記姓名耳，吾將棄此遊太山之巔，長松之下，與安期黃石論出世法，合不死藥，安能與世俗輩汩沒出入生死輪迴間乎？』乃盡以家資遺人，惟攜一古鐺而去。唐士大夫挹其清風，欲識先生面，如景星慶雲之出，爭先覩之為快，先生皆不與之友。由是謝絕人事，野冠草服，行歌無止，日游市肆，若入無人之境，或上酒樓，或宿野店，多游京洛間。僖宗待之愈謹，封先生為清虛處士，乃以宮女三人賜先生，先生為奏謝書云：『趙國名姬，後庭淑女，行尤妙美，身本良家，一入深宮，各安富貴，昔居天上，今落人間，臣不敢納於私家，謹用貯之別館。臣性如麋鹿，迹若萍蓬，飄然從風之雲，泛若無纜之舸。臣遣女復歸清禁，及有詩上浼聽覽。詩云：「雪為肌體玉為腮，深謝君王送到來，處士不生巫峽夢，空勞雲雨下陽臺。」』以奏付宮使，卽時遁去。五代時，先生遊華山多不出，或游民家，或游寺觀，睡動經歲月。本朝真宗皇帝聞之，特遣使就山中宣詔先生。先生曰：『極荷聖恩，臣且乞居華山。』先生意甚堅，使回具奏其事。真宗再遣使齎手詔茶藥等，仍仰所屬太守縣令，以禮遣之，安車蒲輪之異，寵迎先生。先生乃回奏上曰：『丁寧溫詔，盡一札之細書，曲軫天資，賜萬金之良藥，仰荷聖慈，俯躬增感。謝云：臣明時閒客，唐室書生，堯道昌而優容許由，漢世盛而任從四皓，嘉遁之士，何代無之？伏念臣性同猿鶴，心若土灰，不曉仁義之淺深，安識禮儀之去就，敗荷作服，脫籜為冠，體有青毛，足無草履，苟臨軒陛，貽笑聖明，願違天聽，得隱此山。聖世優賢，不讓前古，數行丹詔，徒煩彩鳳銜來。一片閒心，却被白雲留住。渴飲溪頭之水，飽吟松下之風，永嘲風月之清，笑傲雲霞之表，遂性所樂，得意何言。精神高於物外，肌體浮於雲烟，雖潛至道之根，第盡陶成之域，臣敢仰期睿睠，俯順愚衷，謹此以聞。』當時有一學士，以先生累詔不起，因為詩譏先生云：『祇是先生詔不出，若還出也一般人。』先生復答云：『萬頃白雲獨自有，一枝仙桂阿誰無。』後先生亦稀到人間。先生或游華陰，華陰尉王睦知先生來，倒履迎之，既坐，先生曰：『久不飲酒，思得少酒。』睦曰：『適有美酒，已知先生之來，命滌器具饌。』既飲，睦謂先生曰：『先生居處巖穴，寢止何室，出使何人守之？』先生微笑，乃索筆為詩曰：『華陰高處是吾宮，出卽凌空跨曉風，臺殿不將金鎖閉，來時自有白雲封。』睦得詩愧謝。先生曰：『子更一年，有大災，吾之來，有意救子，守官當如是，雖有數理亦助焉。』睦為官廉潔清愼，視民如子，不忍鞭朴，心性又明敏，故先生乃出藥一粒曰：『服之可以禦來歲之禍。』睦起再拜，受藥服之。飲至中夜，先生如厠，久不回，遂不見。睦歸汴，忽馬驚墜汴水，善沒者急救之，得不死。先生亦時來山下民家，至今尚有見者，今西嶽華山有先生宮觀，至今存焉。」

宋初的道教，自陳摶以後，華山道派，又另自形成一系，實創自陳摶的道統，頗爲純正。

第二節　宋代的皇帝與道教

宋初立國，關於宗教的信仰，與宗教政治的地位，多承襲唐代的故事，雖無明令規定，但以現代語言之，都是信仰自由，對於道、佛兩教，也是並尊共容的。但到眞宗臨朝，因失意於敵國，忽留心於宗教，異想天開，獨在唐代宗親道教教主的李老君之外；又捧出一位宋室同宗趙姓的來作聖祖，親自提倡道教。由此開始，形成宋徽宗的篤信道士巫術等事，造成道教在宋史上的汚點。其實，這是帝王玩弄宗教的膚淺權術，於正統道家無關。今據史實，約略引述宋朝帝王與道教的關係，辨明外國人研究中國的道教，誤認道教是在宋代才正式建教的觀念，並不確實。

一、宋眞宗神道設教的動機

史云：「戊申，大中祥符元年，正月，有天書見於承天門，大赦，改元。帝自聞王欽若言，深以澶川之盟為辱，常怏怏不樂。欽若度帝厭兵，因謬進曰：『陛下以兵取幽薊，乃可滌此恥』。帝曰：『河朔生靈，始免革兵，朕安忍為此，可思其次。』欽若曰：『惟封禪可以鎮服四海，誇示外國，然自古封禪，當得天瑞希世絕倫之事乃可爾。』旣而又曰：『天瑞安可必得？前代蓋有以人力為之者，惟人主深信而崇奉之，以明示天下，則與天瑞無異也。陛下謂河圖洛書果有邪，聖人以神道設教耳。』帝沉思久之，曰：『王旦得無不可乎？』欽若曰：『臣諭以聖意，宜無不可。』欽若乃乘間為旦言，旦黽勉從之。帝尚猶豫，會幸秘閣，驟問直學士杜鎬曰：『古所謂河出圖，洛出書，果何事邪？』鎬老儒，不測上旨，漫應之曰：『此聖人以神道設教耳。』帝意乃決，遂召旦飲，歡甚，賜以樽酒，曰：『歸與妻孥共之。』旣歸，發封，則皆美珠也，旦悟帝旨，自是不敢有異議。正月，乙丑，帝謂群臣曰：『去冬十一月庚寅，夜將半，朕方就寢，忽室中光曜，見神人星冠絳衣，告曰：『來月，宜於正殿，建黃籙道場一月，當降天書大中祥符三篇。』朕竦然起對，已復無見，自十二月朔，卽齋戒於朝元殿，建道場以佇神貺。適皇城司奏，有黃帛曳左承天門南鴟尾上，令中使視之，帛長二丈許，緘物如書卷，纏以青縷，封處隱隱有字，蓋神人所謂天降之書也。旦等皆再拜稱賀，帝即步至承天門，瞻望再拜，遣二內侍升屋奉之下，旦跪進，帝再拜受之，親置輿中，導至道場，授陳堯叟啓封，復命堯叟讀之。其書黃字三幅，詞類洪範道德經，始言帝能以至孝至道紹世，次諭以清淨簡儉，終述世祚延永之意。讀訖，盛以金匱。群臣入賀於崇政殿，賜宴，遣官告天地宗廟社稷，大赦，改元。欽若之計既行，陳堯叟陳彭年丁謂杜鎬，益以經義附和，而天下爭言祥符矣。獨龍圖閣待制孫奭言於帝曰：『以臣愚所聞，天何言哉，豈有書也。』帝默然。」

「己酉，二年，以方士王中正為左武衛將軍。先是汀州（福建汀州府）人王捷，言於南康（江西贛州）遇道人，姓趙氏，授以丹術，及小鐶神劍，蓋司命真君也，是為聖祖。宦者劉承珪以聞，賜捷名中正，得對龍圖閣。既東封，加聖祖為司命天尊。授中正以官，恩遇甚厚。三司使丁謂並上封禪祥瑞圖，於是士大夫爭奏符瑞獻贊頌。崔立獨言水發徐、兗，旱連江、淮，無為烈風，金陵大火，是天所以戒驕矜也。而中外多上雲霧草木之端，此何足以言治道哉！」

史書到此，却下了一句「帝不省」之評語。其實眞宗因失意於澶州之役，心煩意亂，無以對天下國家人民交代，遂在道教之外，另以神道設教的作法，用「封禪」崇道來掩飾內心的痛苦，及引開民間的怨恨心理。他自己內心有數，早已明白，祇是當時作史的人，懵然不懂眞宗的原意，反說爲不省，未免可笑。

「壬子，五年，以王欽若，陳堯叟為樞密使。丁謂參知政事。馬知節為樞密副使。時天下乂安，王欽若、丁謂導帝以封祀，眷遇日隆。欽若自以深達道教，多所建明，而謂附會之。與陳彭年、劉承珪等，蒐講大典，大修道教宮觀，以林特有心計，使為三司使，以幹財利。五人交通，踪跡詭秘，時人號五鬼。冬十月，帝言聖祖降于延恩殿。語輔臣曰：朕夢神人傳玉皇之命云：「先令汝祖趙玄朗授汝天書，今令再見汝」。翌日，復夢神人傳聖祖言，吾座西，斜設六位以候。是日，即於延恩殿設道場，五夜一籌。先聞異香。頃之，聖祖至，朕再拜殿下。俄六人至，揖聖祖，皆就坐。聖祖命朕前曰：「吾人皇九人中一人也。是趙之始祖，即離座乘雲而去云云。」』。王旦等皆再拜稱賀，詔天下，肆赦加恩。閏月，上聖祖及聖母尊號。十一月以王旦兼玉清昭應宮使，作景靈宮，奉聖祖。改孔子謚，以玄字犯聖祖諱，改玄聖為至聖。」

「甲寅，七年，正月，帝如亳州，謁老子于太清宮。加號太上老君，混元上德皇帝。己未，天僖二年，大會道，釋于大安殿。壬戌，乾興元年，丁謂有罪貶官，時逮常出入謂家女道士劉德妙鞫問之，德妙言：『丁謂嘗教之曰：「汝所為不過巫事，不若託老君言禍福，足以動人。」』謂又為作頌，題曰：「混元皇帝賜德妙云云。」」

由以上簡略徵引，已可窺見宋代的道教，因爲帝王作政治權術的運用，已大異其趣。唐初開國，崇奉道教，由唐太宗的詔書，坦然說明李老君爲同宗遠祖的動機，毫無妄詐的意圖主義可謂非常純正，故終唐之世，一變歷來正邪混俗的道教，而歸於正式宗教之正途。

宋代自眞宗以後的道教，依據史乘的實錄，遠遜唐代建立道教的宗旨，因此更見唐太宗的英明睿智，並非偶然。同時可見北宋末期，深受宗教之禍，也非偶然。但因眞宗與王欽若提倡道教的作爲，在道教史上，建立有兩件大事。如：

（甲）張天師世系的確定

「乙卯，祥符八年，秋九月，賜信州道士張正隨號真靜先生。初，漢張魯子，自漢川（漢中府）徙居信州（江西廣信）龍虎山，世以鬼道化衆，正隨其後也。至是召赴闕，賜號。王若欽為奏立授籙院，及上清觀，蠲其田租。自是凡嗣世者，皆賜號。」

（乙）道教名著彙書雲笈七籤的完成

眞宗天僖三年，因提倡道教，故欲校正道書，王若欽等卽推薦道士張君房司其事。君房據當時所存道藏，撮取其中的大要，纂編成雲笈七籤一書，共計一百二十二卷，足與佛教的彙書法苑珠林相提並論，都是一部很好的宗教彙編之大作。所謂「七籤」的定義，以道教的天寶君所說洞眞部爲上乘；靈寶君所說洞元爲中乘；神寶君所說洞神爲下乘。又以太元、太平、清三部爲輔經；以正一、法文、遍陳三乘另作一部，依此類分名爲「七籤」。

二、道君皇帝宋徽宗

宋朝由眞宗開始以神道設教爲政治目的，自己假託夢寐，捧出神仙趙玄朗作爲道教的聖祖，利用群衆心理，使舉國上下，醉心宗教情緒，藉此掩飾對北方軍事外交上的失敗。眞宗卽此一念種因，產生後來徽宗沉緬道術，迷信巫師們假託鬼神的扶乩邪術，想靠天神的保祐來阻止敵國的侵略，終至身爲俘虜，國破家亡。由此可見，歷史事實的教訓：凡是利用宗教作爲愚民政治的治術，其後果如何，不待辯而可知。幸而自眞宗以後，歷仁宗、英宗、神宗、哲宗四朝，頭腦都比較清醒，並不效法神道設教的政策，加以有大臣如王旦、王曾、范仲淹、寇準、富弼、司馬光、文彥博、歐陽修等名賢相輔，纔使北宋的趙家天下，還能作到形似昇平的局面。但在學術思潮方面，雖有新儒家理學的興起，而在思想的辨證上，除了儱侗的排斥佛、老，並駁二者爲異端之外，士大夫們完全偏重闢佛，其敢於正式諍諫、認眞辨證正統道家的文化思想者，並不多見。據此更足以窺見朝廷內定的國家政策，常牽涉到帝室的宗祖觀念，雖自以正思正言相標榜如理學家們，亦祇有噤若寒蟬，不敢贊其一辭。歷來學者研究宋代文化學術，與理學家們的思想言論，都忽略這一關鍵所在，積非成是，習於因襲而缺乏明辨的卓見，最爲遺憾。

宋代自哲宗以後，帝室內廷，足爲明主的英才衰落已甚，哲宗因無子嗣，死後其弟端王繼位，卽是有名的道君皇帝宋徽宗。徽宗的秉賦，具有藝術與文學的天才，風流倜儻，富於浪漫的情調。如果把他生在宋太祖或高宗時代，有宮廷的培養，安分爲王，必定可以成爲負有一代權威的文學家或藝術家。不幸的是，他却登上皇帝的寶座，他既做了皇帝，便聽從道士魏漢津言，鑄九鼎，奉安于九成宮。又酷好玩弄花石，極力索取浙中的珍異以供鑒賞，派遣供奉官童貫，赴江浙一帶，訪求書畫以及奇巧的手工藝等物，便引出司理道教之道士官徐知常的布置推薦，起用蔡京，如史所載：

「供奉官童貫，性巧媚，善揣人主微旨，先事順承，以故得幸。及詣三吳，訪書畫奇巧，留杭累月。蔡京與之遊，不舍晝夜，凡所畫屏障扇帶之屬，貫日以達禁中，且附語論奏于帝所，由是帝屬意用京。左階道錄徐知常，以符水出入元符皇后所，太學博士范致虛與之厚，因薦京才可相。知常入宮言之，由是宮妾宦官，衆口一辭譽京，遂起京知定州。」

（甲）宋史所載徽宗崇道的經過

從此以後，蔡京與童貫，互相汲引，利用道士們以阿附徽宗的宗教心理，使其誤入歧路，偏向幻想境界，與多難興邦的現實情況，距離愈遠。如史載：

「政和三年，九月，賜方士王老志號洞微先生，王仔昔號通妙先生。濮人王老志，初為小吏，遇異人授以丹，遂棄妻子，結草廬田間，為人言休咎，多驗。太僕卿王亶以名聞，時帝方嚮道術，乃召至京師，館於蔡京第，嘗緘書一封至帝所，啓視，乃昔歲秋中與喬劉二妃之語也。由是益信之，號為洞微先生。朝士多從求書，初若不可解者，卒應什八九，其門如市，踰年而死。洪州人王仔昔，初隱於嵩山，自言遇許遜，得大洞隱書豁落七元之法，能道人未來事。京薦之，帝召見，賜號沖隱處士，進封通妙先生。由是道家之事日興，而仔昔恩寵寖加，朝臣戚里，寅緣關通。冬，十一月，祀天于圜丘，以天神降詔百官。十二月，詔求道仙經于天下。」

又：「癸巳，是年四月，玉清昭陽宮成，奉安道像，上詣宮行禮。七年，改玉清神霄宮。時道教之盛，自道士徐知常始，賜號冲虛先生；徐守信賜虛靜先生；劉混康賜葆真觀妙冲和先生，後並賜太中大夫。十一月癸未，郊，上搢大珪執元珪，以道士百人執儀衞前導，置道階凡二十六等，先生處士八字六字四字二字，視中大夫，至將仕郎級。重和初別置道官，自太虛大夫，至金壇郎，凡十六等。同文臣，中大夫至廸功郎。道職自冲和殿侍宸，至凝神殿校經，凡十一等。侍宸同侍制，檢籍同修撰，校經同直閣，皆給告身。」

（乙）平步青雲的道士林靈素與道君皇帝

當徽宗崇信道教的時期，或以妖言惑衆而取信于當道，或以異術奇能而見寵于朝廷，形成一代取得功名捷徑的風氣，除如王老志等人外，在號爲道教中人，而異軍突起，驟然至於帝師之位，其遭遇之奇，有勝於北魏時期的寇謙之者，莫過於徽宗時代的林靈素。且道教在宋代以後，對於天神之間的地位關係，產生一種新的說法，亦自林靈素開其先河。如史云：

「丙申，六年，春，正月，賜方士林靈素廣通真靈先生。靈素，浙江溫州人。少從浮屠（佛教出家僧），苦其師笞罵，去為道士，善妖幻，往來淮泗間，及王老志死，王仔昔寵衰，帝訪方士於左道籙徐知常。知常以靈素對。卽召見賜號通真達靈先生。改溫州為應道軍。靈素本無所能，惟稍習五雷法，召呼風霆，間禱雨，有小驗而已。

靈素大言曰：天有九霄，而神霄為最高治府。神霄玉清王者，主南方，號稱長生大帝君，陛下是也。既下降于世，其弟號青華帝君者，主東方，撫領之。又有仙官八百餘名，今蔡京，卽左元仙伯。王黼，卽文華使。鄭居中，童貫等，皆有名而已，卽仙卿褚慧下降，佐帝君之治時。劉貴妃方有寵，靈素以為乃九華玉真安妃。帝心獨善其事，益加寵信。並從其言，立道學。

按：巫術之妖言惑衆者，常許人以上界星神下凡爲諛辭。人情大抵皆喜譽己而惡忠言，故術者可邀人之寵信。

二月，作上清寶籙成。

按：世傳的扶乩等術，亦于此時最爲興盛。

丁酉，七年，春，二月，帝幸上清寶籙宮，命林靈素講道經。時道士皆有俸，每一觀，給田亦不下數百頃。凡設大齋，輒費緡錢數萬。貧下之人，多買青布幅巾以赴，日得一飫餐，而襯施錢三百，謂之千道會。且會士庶人聽靈素講經，帝為設幄其側，靈素據高座，使人於下再拜請問。然所言無殊絕者，時時雜以滑稽媟語，上下為大鬨笑，莫有君臣之禮。

按：靈素新創的道教講經法會，其規模制度，皆仿佛教組織而來。且曾一度慫恿徽宗，下令江浙一帶，奪改佛教寺院爲道觀，蓋爲報爲僧時被其師笞責之恨也。

四月，道籙院上章册帝為教主道君皇帝。

按：此卽等於道教教會給予皇帝的封號，隱有宗教超乎帝王政權以上的意味。

十二月，帝言大神降于坤寧殿，作萬歲山。帝以未得嗣子為念，道士劉混康以法籙符水，出入禁中。言京師西北隅，地協堪輿，倘形勢加以少高，當有多男之祥。始命為數仞岡阜。已而後宮生子漸多，帝甚喜，始篤信道教。至是，又命戶部侍郎孟揆于上清寶籙宮東，築山以像餘杭之鳳凰山，號曰萬歲。

庚子，二年，春，正月，罷道學。林靈素有罪，放歸田里。靈素初與道士王允誠共為神怪之事，後忌其相軋，毒殺允誠，遂專用事。及都城水，帝遣靈素厭勝，方步虛城上，役夫爭舉梃，將擊之，走而免，帝始厭之。然橫恣愈不悛，道遇皇太子弗斂避，太子入訴於帝。帝怒，以靈素為太虛大夫，斥還故里，命江端本通判溫州，察之。端本廉得其居處過制罪，詔徙置楚州。命下，而靈素已死。」

道士林靈素以妖妄異術，見寵徽宗，權勢地位，皆盛極一時，但僅五、六年間，卽失勢而死。且觀其事跡，較之歷代正統道家的神仙方士，能夠全始全終，足爲千秋敬仰者，相去不可以道里計。靈素所用的道術，原出於道教雷部法術的一部分，自唐末卽盛行于閩浙一帶，溫州與閩北尤盛，直至民國初年，仍有存者。這一派的法術，略近於湖南辰州派的符籙，並非道教法術中的太清大法。然靈素雖以妖異得寵，也因妖言而亡。而自靈素倡九霄天神之說以後，使道教於天道觀念，更加一層迷惑。元代以後，其說一直流行於道教中，積重難返，祇好追認。又因靈素爲溫州人，特別捧上一位同鄉的天神溫太保，作爲道教的護法神，溫太保從此卽在道教中，永遠具有役使鬼神的權威地位。天神之際，亦深植鄉土觀念，寧非異事，毋怪人間多重戚故，更無足爲怪了。

道君皇帝宋徽宗的崇信王老志、林靈素等的道教，已遠非唐代尊崇信仰道教的宗旨，其在幕後導演此一歷史性的宗教事件，實際爲童貫、蔡京，以及左街道籙徐知常等的政治作用，徽宗唯興之所至，一如沉緬於金石書畫的心理，固自不知所云而爲之而已。然而身當國家第一領導的帝王，如果政治思想，缺乏聰明睿智的哲學基礎，隨便一念起因的差錯，往往會導致萬劫不復的結果，此乃爲天經地義不易的法則。徽宗陷溺邪術——並非正統的道教，因之流風遺毒，一直影響到他的兒子欽宗手裡，更演出不可收拾的悲劇。如史載靖康事實云：

「以郭京為成忠郎，選六甲兵以禦金。初於龍衞中得京，但因好事者言京能使六甲法，可以生擒金二將而掃蕩無餘。其法用七千七百七十七人。朝廷深信不疑，命以官。賜金帛數萬，使自募兵，無問技能與否，但擇年命合六甲者。所得皆市井游惰，旬日而足。敵攻益急，京談笑自如云：擇日出兵，三日可致太平，直襲擊至陰山乃止。孫傅（尚書右丞）等尤尊信之。另有人所募衆，或稱六丁力士，或稱北斗神兵，或稱天闕大將。大率効京所為。識者危之。京嘗曰：『非至危急，吾師不出。』事急，迨郭京出禦金軍，敗走，京城陷，帝如金營請降，從此徽欽父子，均為俘虜。」

每讀史，至宋代徽欽父子昏庸之處，深感當時所謂新儒家的理學家們，何以無一人犯顏諍諫，揭示齊家治國平天下的大計？豈眞所謂祇能做到「平時靜坐談心性，臨危一死報君王。」就此便是學問嗎？至於佛家的禪師們，當此時期，更是高蹈遠引，息影山林，不干與天下興亡的大計，雖有南宋高宗（康王）時代的大慧宗杲禪師，與岳飛、張九成翁婿暗通聲氣，但也爲時已晚。總之：中國文化的三教精神，在南宋末期歷史的表現，除了文天祥，陸秀夫以外，都甚減色，豈獨道教而已哉！

第三節　正統道教南宗的崛起

一、張紫陽的丹道

宋代自眞宗開始崇信道敎以後，正統道家，因唐末呂純陽之肇始，已經邁入道、佛合一，禪、道同參的正統丹道途徑。儒家有新興的理學，禪宗有五家的宗風，道家有丹道的嫡傳，從唐代以來，中國文化主流的儒、釋、道三家，都有更新的運動，在學術思想上，應該算是一個別開生面的時期。北宋時期，正統道家嫡派丹道的中心人物，卽是後世道敎所稱南宗丹道祖師的張紫陽。紫陽著有悟眞篇行世，與東漢時代魏伯陽所著的參同契，合爲正統道家千古丹經的名著。他以天地爲爐鼎，身心爲藥物，涵容性命雙修，撮取道、佛兩家修煉的宗旨與方法，以詩詞體裁，一一敍說工夫境界的程序，一洗歷來東猜西摸，迷離撲朔丹道修煉方法的疑慮。尤其他以西江月的詞體，寫出南方禪宗所標榜明心見性，立地成佛的境界，與

張紫陽

唐末以後正統道家見道、成道的精神，完全符合，最爲警醒有力。後來歷傳至白玉蟾、彭鶴林等，卽爲明、淸以後道家所尊的南宗七祖。

所謂南宗，卽以紫陽眞人爲代表的傳統，公認其爲主張性命雙修的丹法。北宗，卽以丘長春所創道教龍門派的傳統，相傳以專主修性的道家丹法。而南宗在明、淸以後，又另有傳說，認爲是主張男女合籍雙修的丹法，於是穿鑿附會，陰陽交配，房中採戰之術，亦皆附庸於參同、悟眞的著述，標示確有師承根據以圖矇混，誠爲紫陽眞人始料所不及。但紫陽一派，傳至清代，却得一帝王知己的雍正，爲他所著的悟眞篇作序，大加稱揚，亦是紫陽眞人始料所不及。

按：臨海縣志云：「宋，張用誠，邑人，字平叔。為府吏，性嗜魚，在官辦事，家送膳至，衆以其所嗜魚戲匿之梁間。平叔疑其婢所竊，歸朴其婢，婢自經死。一日蟲自梁間下，驗之，魚爛蟲出也。平叔乃喟然歎曰：『積牘盈箱，其中類竊魚事，不知凡幾！』因賦詩云：『刀筆隨身四十年，是非非是萬千千，一家溫飽千家怨，半世功名百世愆，紫綬金章今已矣，芒鞋竹杖任悠然，有人問我蓬萊路，雲在青山月在天。』賦畢縱火，將所署案卷悉焚之。因按火燒文書律遣戍。先是郡城有鹽顛，每食鹽數十斤，平叔奉之最謹，臨別囑曰：『若遇難，但呼祖師三聲，卽解汝厄。』後械至百步溪，天炎，沿溪中遂仙去。至淳熙中，其家早起，忽有一道人進門坐中堂，叩其家事歷歷，隨出門去。人以平叔歸云，百步嶺舊有紫陽真人祠，扁云：紫陽神化處，今廢。」

按：山西通志云：「張伯端，天台人，少好學，晚得混元之道。宋神宗熙寧間，遊蜀，遇劉海蟾授以金液還丹之訣，乃改名用誠，字平叔，號紫陽山人。英宗治平中，隨龍圖陸公，寓桂林後，轉徙秦隴，久之，訪扶風馬處厚，默於河東，乃著悟真篇授處厚曰：『平生所學，盡在是矣。願公流布此書，當有因書而會意者。』元豐五年夏，尸解而去，住世凡九十九歲。弟子用火燒化，得所謂耀金姿者千百粒，大如芡實，色皆紺碧，後七年，劉奉真遇紫陽於王屋山，留詩而去。紫陽嘗謂己與黃勉中、維揚于先生皆紫微星，號九皇真人，因誤校勘劫運之籍，遂謫人間。今紫微垣光耀可見者，六星而已，翼城紫陽宮卽其修煉處。」

按：陝西通志云：「張用誠，號紫陽，嘗有一僧修戒定慧，能入定出神，數百里間頃刻卽至，與紫陽雅志契合。一日，紫陽曰：『禪師今日能與遠遊乎？』僧曰：『可，願同往揚州觀瓊花。』於是同處靜室，相對瞑目趺坐出神。紫陽至時，僧已先至，遶花三匝。紫陽曰：『可折一花為記。』少頃欠伸而覺。紫陽曰：『禪師瓊花何在？』僧袖手皆空。紫陽乃拈出瓊花，與僧把翫。弟子問曰：『同一神遊，何以有有無之異？』紫陽曰：『我金丹大道，性命兼修，是故聚則成形，散則成氣，所至之地，真神見形，謂之陽神，彼之所修，欲速見功，不復修命，直修性宗，故所至之地，無復形影，謂之陰神，神不能動物也。』元豐五年夏，趺坐而化，壽九十有九。」

二、白玉蟾與朱熹

南宗丹道至於北宋末期，負傳承的道統者，卽是白玉蟾。白玉蟾隱於福建武夷山潛修，從之日衆。其時朱熹亦正在武夷講學，彼此師弟之間，互有往來。朱熹外示儒術，內慕道法，屢次想從白玉蟾處討教丹道，都被白玉蟾婉轉拒絕，猶明代王陽明問道於道人蔡蓬頭，幾遇呵斥，如出一轍。朱熹晚年化名崆峒道士鄒訢，竭力研究參同契而無所獲，引爲終身遺憾，後來雖有白玉蟾的啓示，卻碍於一代儒學宗師的身份，不能誠懇謙虛請教，所以始終不得其門而入。陶弘景所謂：「神仙有九障，名居其一。」甚矣，名心之難除，良可慨歎！

按：續文獻通考：「白玉蟾，名葛長庚，母以夢呼玉蟾，瓊州人。年十二，舉童子科於黎母山中，遇異人授洞元雷法。後居武夷山，嘗自贊曰：『千古蓬頭跣足，一年服氣飡霞，笑指武夷山下，白雲深處吾家。』嘉定中，詔徵赴闕，對御稱旨，命館太乙宮，一日，不知所在。後往來名山，入水不濡，逢兵不害，神異莫測，詔封紫清明道真人，有上清、武夷二集行世。玉蟾自號海瓊子，或號海南翁，或號瓊山道人，或號蠙庵、或號武夷散人，或號神霄散叟。人云尸解於海豐縣。」

按：九江府志：「白玉蟾，瓊州人，姓葛，名長庚。嘗任俠殺人，亡命之武彝，事陳泥丸為道士，自稱靈虛童景洞天羽人。善幻，好詭誕之行，往來廬山間，揮灑文墨，信筆而成。山南北諸佳勝，並有題咏，而太平宮為多，嘉定己未冬解化，賜號養素真人。」

第六章

宋元時期新興的道教

第一節　北宋道家全眞道的建立

道教自北宋之末，有南宗丹道的崛起，禪、道合一的途徑，已極其明朗。到南宋時期，在北方的民族，長期受困於遼、夏、金、元的動盪局面，國家民族感情，與傳統文化精神交相激發，便有王重陽、丘長春師徒「全眞道」的建立，一變歷來神仙方士、符籙法術的道術，提倡敦品勵行，修心養性的漸修教化，成爲黃河南北聲勢顯赫的新興道派，威名遠佈。他們與成吉思汗，及元朝開國之初的政策，並元代以後的道教，都有極大的關係。明、清以後的道教，即以「全眞道」爲其中堅骨幹，是爲開北宗龍門派的翹楚。「全眞道」的學理與方法，完全近於禪宗北宗漸修的路線，而且又富有儒家與宋代新興理學家的精神。他們生當衰亂之世，華夏丘墟，以民間講學傳道的姿態，盡力保持國家民族文化的元氣與精神，可謂用心良苦，功德無量，而古今學者，依樣畫葫蘆，一律指爲釋老的異端，管窺陋見，卑不足道，實在有點辜負聖賢，非常可笑。

一、創始全眞道的祖師王重陽的事蹟

當宋徽宗政和二年間（西曆一一一二年），這位皇帝正在玩他那一套書畫、蹴球、修煉神仙道術的時候。在陜西的終南山下劉蔣村中，便出了一位爲後世道教全眞道的祖師王重陽

王重陽

。他原名中孚，字允卿。後來修道，改單名爲嚞，字知名，道號曰重陽。他自幼便慷慨好義，不拘小節。而且在二十歲左右，便中過進士，很有文名。到了徽、欽二帝做了金人的俘虜，金人又利用劉豫稱齊王，定都山西大名府的時期，由此便結束了北宋的王朝，也是南宋的開始。他在這一段時期，故國家國都算完了，如本傳稱：「當南宋建炎四年，金太宗天會八年，封劉豫爲王，國號齊，改元爲阜昌初年。撫治河外，不及於秦，歲屢饑，人至相食。時咸陽醴泉，惟師家富魁兩邑，其大父乃出餘以周之，遠而不及者，咸來刼取，鄰里三百戶，餘亦因侵之，家財爲之一空。有司率兵捕獲，將置之法。師曰：鄉人餓荒，拾路所得，吾不忍置之死地。有司賢之，遂釋不問，人服其德。金海陵煬王正隆四年，師忽自嘆曰：孔子四十而不惑。孟子四十而不動心。予猶碌碌如此，不亦愚乎？自是之後，性少檢束，親戚惡之曰：害瘋來。師受而不辭。關中謂狂者爲害瘋。」因此便自叫自己曰王害瘋。不久，便遇呂純陽化身的點化，就修道了。

本傳又說他此後五年中秋，再遇呂純陽於醴泉。「師趨拜之。衆笑言曰：是害瘋。安得識眞仙師？其人邀師飲。師問其鄉閭年姓。答曰：濮州人，年二十二，而不告其姓。留秘語五篇，令師讀畢焚之。且曰：去東海，投譚捉馬。已而，俄失所在，師乃捐棄妻孥，送次女於姻家，竟委而去。行乞於鄠社終南間，擧止亦若狂。人莫測也。後別搆菴於南時村，起封高數尺，壙深丈餘，以活死人目之。又號曰：行菴。以方牌掛其上，書云：王害瘋靈位。自作歌曰：「沽死人兮王瘋乖，水雲別是一般諧。道名喚作重陽子。諱號稱爲没地埋。來者路，不忘懷。行殯須是掛靈牌。」又於庵四隅，各植海棠梨一株。同庵和公，怪而問之？師曰：吾欲使他日四方教風爲一，亦如此。」「俄一夕，自焚其菴，村里驚救之。師方舞躍而歌曰：數載殷勤，謾居劉蔣，庵中日日塵勞長，豁然眞火瞥然開，便教燒了歸無上，奉勸諸公，莫生悒怏，我咱別有深深況，惟留灰燼不重遊，蓬萊路上知往來。」

他從此攜鑽行乞東行，當金世宗大定七年間（西曆一一六七年），便到了山東的登州，那時山東屬於金國的地方，並非南宋所有。他在寧海的儒者范明叔家，遇到了當地的富豪馬宜甫，就是後來重陽門下，稱爲七眞的首徒馬丹陽。本傳說：

「初宜甫夢其南園一鶴從地湧出，師至，同師擇地立菴，師指鶴起處，命名全真。全真之名，始於此矣。師欲挽之西遊，宜甫家貲鉅萬。久而未決，其室孫氏尤難之。」

他住到馬宜甫的家裏去，故意顯示神異來感動他們，宜甫夫婦便棄家修道了。師爲他改名鈺，字玄寶，號丹陽子。同時又收了譚玉、王處一、郝昇等，本傳說：

「譚玉者，以宿疾來見，師始拒之。玉固請爲弟子，留宿庵中，其疾頓愈。玉遂黜其妻而從之。師名以處端，字通正，號長真子。繼有王公者，居半仙山。聞師至，來謁，問答有得，遂師禮之。後往鐵查山雲光洞。師飛蓋致其名號，名處一，號傘陽子。日者郝昇，深於易，賣卜於市，師入其肆，背而坐焉。昇曰：請公迴頭。師應聲曰：君何為不迴頭耶？昇悚然異之。從至朝元觀。師授之二詞，以發至意。昇大感悟，乃執弟子禮。從至煙霞洞。賜名曰璘，號恬然子。」

在這一段期間，他率領門人到崑崳山，發現煙霞古洞，說是其先世修道的所在。在此又收了一位弟子，便是丘長春，爲以後創建弘揚全眞道的祖師，曾經爲道教，及元朝統一中國初期的社會，做了許多福利事業的超人。本傳說：

「棲霞丘公，年十九。雖已入道，未知所從，盤桓崑崳。聞師在全真庵，因投謁於齋次。師知其為遠器，贈之以詩，賜名處機，字通密，號長春子。自此門人頗集，師以罵詈笞捶磨煉之，稍稍散去。篤志不變者，惟馬、譚、丘而已。」師嘗顧丘長春曰：「此子異日地位非常，必大開教門者也。」

當金大定九年四月間，寧海周伯通，請師到其家，創立金蓮堂，與金蓮會。同時他又感化了馬鈺之妻孫氏，賜名不二，號清靜散人。所以後世稱全眞道的七子，又有稱爲金蓮正宗的。在這一段時期，他又在萊州設立平等會，由此遠近聞風，參加入會的便有千餘人了，他自作牓文云：

「平等者，道德之祖。清靜之元。為玉華金蓮之根本。作三光七寶之宗源。普濟羣生，偏拔梨庶。人人願吐於黃芽，箇箇不遊於黑路。玉華者，乃氣之宗。金蓮者，乃神之祖。神是氣之子，氣是神之母。子母相見，得為神仙。然則，有真功真行，澄心定意，抱元守一，存神固氣，真功也。修仁蘊德，濟貧拔苦，先人後己，與物無私，真行也。」又自作有金蓮定分疏、開明疏、三光疏、玉華疏、平等會規矩及諸詩篇等等。其餘理論，則見於他們弟子們所集的重陽立教十五論一書。

這一段時期，他多往來於登州，萊州之間。並且也到過南京，但都是在金國的範圍，並沒有到南宋來過。（那時南京屬於金十九路，南京留守司治開封。）同時又收了劉處玄為徒。號長生子。於是馬丹陽、譚長眞、劉長生、丘長春、王傘陽、郝恬然、孫不二，都歸教席，七眞之名，從此興盛。到金大定十年正月四日坐化，享五十八。到元朝至元六年己巳正月，元朝追褒為重陽全眞開化眞君，有遺文及全眞前後韜光集行世。他臨歿的時候，囑戒弟子勿哭，自己作頌說：「地肺重陽子，呼為王害瘋，來時長日月，去後任東西，作伴雲和水，為隣虛與空，一靈眞性在，不與衆心同。」他頌畢而坐。弟子們慟哭失聲，他忽又開目說：「何至於此？」便再囑馬丹陽等後事，「付之密語，勿輕傳之。」並且要馬丹陽到關西教化他的鄉人。後來馬丹陽等四人，扶師靈柩，歸葬終南山下劉蔣村，而且廬墓三年，如喪考妣。然後才各散處四方，各從所志。馬丹陽便嗣其教化。

由開創全眞道的祖師王重陽的事跡看來，如果推開神仙的道業而不談，另從國家民族興亡的角度，來看衰亂時代中仁人志士的用心，便會使人發生無限的感慨。假使用歷史的觀點來追論，如中國的老子、孔子、孟子、莊子、列子。印度的釋迦牟尼佛、龍樹菩薩、馬鳴菩薩。希臘的蘇格拉底（Socrates）、亞里士多德（Aristotle）、柏拉圖（Plato）。猶太的耶穌（Jesus）。阿拉伯的穆罕默德（Muhammed）。有的在哲學上名垂萬古，有的在宗教上與天地同休，他們建立了不世的功業。但是，這些偉大的超人們，生當其時，沒有那一個不是遭逢時世的衰亂，由於政治，社會衰敗的反應，而另覓人生究竟的道路而來的。至於借此而寄情物外，將一片悲天憫人的血淚，洒向虛空的，其心尤可令人悚然起敬。

少年的王重陽，是一個有豐富學問的人，而且任俠重義，豪氣凌雲。他生當衰亂之世，自己眼見要遭遇到亡國滅種的痛苦，況且正當「南渡君臣輕社稷」的時代。時勢環境迫得他無力挽回絕對的頹勢，便只有創教立宗，以保持文化精神在宗教社會之間了。所以他便不得不自己活埋，號爲「活死人」和「瘋子」。至於說他所遇的師父，是呂純陽的化身，命他向東去創教，又吩咐他密語，他臨死又吩咐馬丹陽密語。如果除開囑咐修道的密訣外，誰能證明七百年前，他們師徒所說的是什麼？究竟是爲道或爲國？自然都是疑案了。總之：沒有那一個宗教的教主，和以學術思想自任的大宗師們，他們是絕無用世之心的人。祇是不像英雄們有治世取天下之心，而却都有救世平天下之志。不過所走的路線，和所取的目的和方法，各有不同而已。例如宋人有反遊仙詩說呂純陽的：「覓官千里赴神京，得遇鐘離蓋便傾。未必無心唐社稷，金丹一粒誤先生。」雖然是別有寓意的幽默話，但是也確有至理，發人深省。

當南北朝之間，野蠻民族崛起西北，以石勒，姚興等的蠻夷酋長之雄，如果沒有神僧佛圖澄，和高僧鳩摩羅什等的教化，不知道還有多少生靈，受其塗炭。當成吉思汗崛起蒙古，以素無文化基礎的民族，除了依賴武力征伐以外，根本不懂文化和政治的建設。如非丘長春師徒教化其間，他禍害之烈，恐怕又不止如元朝八十餘年的情況了。這筆寫到全眞教的事跡，又不勝有觀今鑑古之嘆！元代的道士趙道一，編著王重陽傳後的繫語，也同有此感。他說

：

「皇不足則帝，帝不足則王，王不足則霸，霸又不足，則道之不幸也。至哉全真！傑生中土，轉澆漓以宗太樸，化頑獷以慕無為。一師倡之，七真和之。猗歟盛哉！時當今之有國也。力不侔於五胡，德弗逮於拓跋，緜緜之運，信罔有矣！然天啓玄元之教，俾福被於羣生。斯道無喪，以至今日，全真之功也。」

這一段的評語裏，便說到元朝「力不侔於五胡，德弗逮於拓跋。」不但談不上王道，卽如退而求其次的霸道，也夠不上。元朝的統一中國，祇能說是武力上的幸運。他言下對於重陽眞人師徒的推崇備至，也就是對於宋朝一代的人物，有不勝遺憾之嘆！

二、丘長春與成吉思汗的因緣

丘處機，字通密，號長春子。這都是他師父王重陽眞人爲他取的名字。他是山東、登州、棲霞縣的人，當金熙宗大定七年間，他方十九歲，居崑崳山修道，而遇王重陽，便依之稱弟子。重陽當時贈以詩曰：「細密金鱗戲碧流，能尋香餌食吞鈎。被予緩緩收綸線，拽入蓬萊永自由。」對於他的器重，由此可見。他追隨依止於重陽，不過四年，重陽便卽坐化。臨歿吩咐他聽學於馬丹陽，他便隨馬丹陽、譚長生、劉長生等四人，護重陽靈柩，歸葬終南山下，並且隨丹陽等廬墓三年，極盡師弟之禮。後來他便獨居於磻溪、龍門七年，專志修道，備嘗艱苦。後世道教的龍門派，俗稱北派的，就宗於他修道於龍門而定名。他在這幾年中　對於修道的心得，隨時作成詩歌，因此流傳開去，聲譽便逐漸隆盛起來。因金朝的京兆統軍夾谷公禮請，遂還歸終南，宏揚全眞道教。金世宗二十八年，召請入見。世宗向他求道，他便先說延生保命之要，次及持盈守成之難。又說：

「富貴驕淫，人情所常。當兢兢業業，以自防爾。誠能久而行之，去仙道不遠。譎詭幻怪，非所聞也。」

金世宗對於他，非常重視。先安置他在萬寧宮之西，一年之中，屢次召見。他急急請求還山，到了是年八月，才放他還終南山。賜錢十萬，他都辭而不受。二十九年，世宗死後，他便於章宗明昌元年，（西曆一一九〇年）回到故鄉的棲霞，大修道觀，安置徒衆。當南宋寧宗嘉定十二年，金宣宗興定三年的時期（西曆一二一九年），他住在萊州的昊天觀。那時山東大部份的地方，都被南宋收復。寧宗久聞他的道望，便遣使召請南行，而且命令大帥彭義斌派兵保衞起行，他都辭謝不去。地方官怪而問他的原因，他便說：「吾之出處，非若輩所可知。他日恐不能留耳。」到了那年的五月，成吉斯汗在西征的途中，從奈蠻國遣近臣札八兒、劉仲祿，遠涉間關險阻，到山東來請他西去。本傳所載成吉斯汗寫給他的制詔說：

「七載之中成大業，六合之內為一統。是以南連蠻宋，北接回紇。東夏、西戎，悉稱臣佐。任大守重，懼有闕政。且夫刳舟剡楫，將以濟江河也。聘賢選佐，將以安天下也。朕踐祚以來，勤心庶政。三九之位，未見其人。伏聞先生體真履規。博物洽聞。探賾窮理。道沖德著。有古君子之遺風，抱真上人之雅操。今知猶隱山東舊境，朕心仰懷無已。山川懸濶，有失躬迎之禮。朕但避位側身，齋戒沐浴，選差近臣，備輕車，不遠數千里，謹邀先生，暫屈仙步，不以沙漠遠行為念。或憂民當世之務，或恤朕保身之術。朕得親仙座，惟先生將咳嗽之餘，但授一言斯可矣。」

這一篇制詔，當然不是成吉思汗的手筆，那是不用推想可知。但是他的渴望之誠，和卑辭厚禮，却躍然紙上。按明陶宗儀著輟耕錄原文，還較爲詳細，但大體不外這些懇切的情辭。而且劉仲祿奉命爲請師的專使，其初一路行來，還不知道丘長春在山東那裏，本來想帶兵五千，專來迎請。後來經過金朝西北駐軍和邊臣的勸告說：正當兩國議和，恐怕金人驚擾。才祇帶蒙古親兵二十人，一路探訪，來到登州。丘長春却一反常態，立卽接受了成吉斯汗的邀請。選弟子中可以從行的，共計十八人，便於（西曆一二二〇年）二月北行到了燕京行省（北京）。他所經過的地方，大家爭求他的文筆詩頌，祇要有此一紙，就可免了元兵的殺戮。後來元朝用兵中國，人們都求丘長春全眞教下的庇護，猶如清末時期，國人求庇於外國教士一樣，眞是歷史上一件異事。

丘長春到了燕京的時候，成吉斯汗的西征行程，已經更加遼遠。據輟耕錄等的記載，他便進表陳情，奏請不去。如原表云：

「登州棲霞縣志道丘處機，近奉宣旨，遠召不才。海上居民，心皆恍惚。處機自念謀生太拙，學道無成。辛苦萬端，老而不死。名雖播於諸國，道不加於諸衆人，內顧自傷，衷情誰測。前者南京及宋國，屢召不從，今者龍庭，一呼卽至。何也？伏聞皇帝，天賜勇智，今古絕倫，道協威靈，華夷率服。是故便欲投山竄海，不忍相違。且當冒雪衝霜，圖其一見。蓋聞車駕只在桓撫之北。及到燕京，聽得車駕遙遠，不知其幾千里。風塵澒洞。天氣蒼黃，老弱不堪，切恐中途不能到得，假之皇帝所，則軍國之事，非己所能。道德之心，令人戒欲，悉為難事。遂與宣差劉仲祿商議，不若且在燕京德興府等處，盤桓住坐，先令人前去奏知。其奈劉仲祿不從，故不免自納奏帖。念處機肯來歸命，遠冒風霜，伏望皇帝早下寬大之詔，詳其可否。兼同時四人出家，三人得道，惟處機虛得其命。顏色憔悴，形容枯槁。伏望聖裁。龍飛年三月日奏。」

到了十月間，成吉斯汗在鄰近印度的邊境，遣使奉詔回邀西去，如原詔云：

「成吉思皇帝勅真人丘師省，所奏應召而來者，具悉。惟師道踰三子，德重多方。命臣奉厥元纁，馳傳訪諸滄海。時與願適，天不人違。兩朝屢召而弗行，單使一邀而肯起。謂朕天啓，所以身歸。不辭暴露於風霜，自願跋涉於沙磧。書章來上，喜慰何言。軍國之事，非朕所期。道德之心，誠云可尚。朕以彼酋不遜，我伐用張，軍旅試臨，邊陲底定。來從去背，實力率之固然。久逸暫勞，冀心服而後已。於是載陽威德，略駐車徒。重念雲軒既發於蓬萊，鶴馭可遊於天竺。達磨東邁，緣印法以傳心。老氏西行，或化胡而成道。顧川途之雖闊，瞻几杖以非遙。爰答來章，可明朕意。秋暑，師比平安好。旨不多及。」

他由此便不辭險阻，遠涉沙漠，追隨成吉斯汗的西征路線，歷時四年，經數十國，行萬

丘處機

有餘里，元史稱其：「蹀血戰場，避寇絕城，絕糧沙漠。」於西曆一二二二年，到達邪迷思干城。再過鐵門關。才在雪山之陽，與成吉斯汗見面。居住一年以後，他自北印度的邊境返國，成吉斯汗派騎兵數千，護送他回燕京。改天長觀爲長春宮。又勅修白雲觀，合而爲一。幷以萬歲山，太液池賜之，改名爲萬安宮。

在我們的歷史上，當六朝的時期，前秦苻堅爲了迎接高僧鳩摩羅什東來，專爲他發兵七萬征服龜玆國，才得到了羅什大師。後秦王姚興，而且又爲了大師，於宏始三年（西曆公元四〇一年）派兵滅了後涼，他才到了長安。在此以前，苻堅爲了爭取道安法師，及習鑿齒等學者，也不惜用兵十萬，進攻襄陽，硬把他們俘去。歷史上爲了一位學者大師，至於兵戎相刼，而且還因此攻城滅國，實在爲千古稀有的事。但是那是野蠻民族盤據中國，爲了爭取另一外國的學者大師到中國來傳法的舉動。至於唐代玄奘法師，爲了求法，在交通阻塞的當時，單人渡戈壁沙漠等地的險阻，遠到印度去留學十八年，聲名洋溢中外，功業長留人世，這也是一件永爲世人崇拜的事實。可是人們却遺忘了當成吉思汗武功鼎盛的時期，他遠自印度邊境，也爲了一位學者道士，派兵東來中國，迎接丘長春。而且更忽略了丘長春的先見之明，他不辭艱苦的到了雪山以南，是爲得預先佈置，保持民族國家文化的傳統。這是多麼可歌可泣，而且含有無限悲憤的歷史往事！因爲他是一位道教的道士，便被自命儒家的歷史學者們，輕輕的一筆抹煞，無奈不可乎！

三、丘長春如何感化成吉思汗

翻開歷史的記載，自秦皇、漢武，海上求仙以來，並唐、宋的帝王，誤於神仙方術者，屢見不鮮。丘長春以全眞道教的大師，成吉斯汗呼爲神仙而不名，而且經過如此艱難的請去，他應當傳些長生不老，修成神仙的法術了。事實上，並不如此。他教給成吉斯汗的，却都是中國正統學術，儒、道兩家忠孝仁義的話。尤其諄諄勸其戒殺而治天下。這比三國時期于吉、左慈等方士之流，想以方技動人的，就不知高明到多少倍了，元史釋老傳載：

「太祖時方西征，日事攻戰。處機每言，欲一天下者，必在乎不嗜殺人。及問為治之方，則對以敬天愛民為本。問長生久視之道，則告以清心寡欲為要。太祖深契其言，曰：天錫仙翁，以悟朕志，命左右書之，且以訓諸子焉。於是錫之虎符，副以璽書。不斥其名，惟曰神仙。」

同時，丘長春又把握許多機會，對於成吉斯汗，加以機會感化。如本傳載：

「一日雷震。太祖以問處機。對曰：雷，天威也。人罪莫大於不孝，不孝則不順乎天，故天威震動而震之。似聞境內不孝者多，陛下宜明天威，以導有衆。太祖從之。」又：「歲癸未，太祖大獵於東山，馬踣。處機請曰：天道好生，陛下春秋高，數畋獵，非宜。太祖為罷獵者久之。」

成吉斯汗既賜給丘長春以虎符璽書，在過去中國帝王的習慣上，便算是等於列土封侯的榮寵。在某種情形之下，他憑這些東西，就可以便宜行事的。丘長春以間關萬里之行，換得虎符璽書而歸，不但為道家文化，增長聲威。而且他們師徒，還憑此服務戰地救了許多自己國民的生命，不使死於元兵的兇殘淫掠之下，這更是值得大書而特書的一件事，如元史釋老傳載：

「時國兵（元兵）踐蹂中原，河南北尤甚。民羅俘戮，無所逃命。處機還燕，使其徒持牒，招求於戰伐之餘。由是為人奴者，得復為良。與濱死而得更生者，毋慮二三萬人。中州人至今稱道之。」

後來忽必烈統一中國的時期，其徒尹志平等，世奉璽書，襲掌其教。其餘的門人，分符領節，各據一方，執掌他的教化，也庇護了多少國民的生命財產。而且到了元武宗至大三年間（西曆一三一〇年間）還加賜金印。當國家有難，受異族統治之下，一個新興的道教宗派，做了許多保存民族命脈的工作，追懷千古，實在應當稽首無量。

全眞教傳授源流表

- 王喆重陽
  - 馬鈺丹陽
    - 于志道洞眞
      - 李道謙天樂
        - 孫德彧開玄
    - 楊明眞碧虛
      - 李志遠無欲
  - 譚處端長眞
  - 劉處玄長生
    - 于道顯離峰
      - 孫伯英
      - 王志明
    - 崔道演眞靜
      - 張志偉天倪
      - 王志深
  - 丘處機長春
    - 尹志平清和
    - 李志常眞常
      - 張志敬誠明
      - 樊志應重玄
    - 王志坦淳和
    - 宋德方披雲
      - 祁志誠洞明
      - 秦志安通眞
      - 申志貞洞元
    - 李志全純成
    - 李志方重玄
      - 霍志眞寂然
    - 陳志益重顯
    - 劉道寧眞常
      - 褚志通伯達
    - 房志起冲虛
  - 王處一玉陽
  - 郝大通廣寧
    - 范圓曦玄通
    - 王志謹棲雲
      - 徐志根洞陽
        - 孫履道明德
      - 張志信消遙
      - 姬志眞知常
  - 孫不二清淨

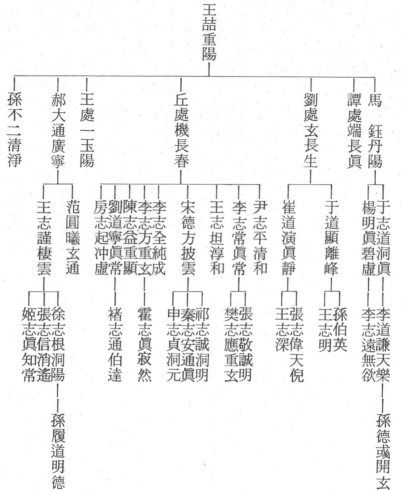

全眞教歷任掌教表

姓名	號	籍	卒年或掌教時代	壽數
王喆	重陽	咸陽	金大定十庚寅卒	五八
馬鈺	丹陽	寧海州	金大定廿三癸卯卒	六一
譚處端	長眞	寧海州	金大定廿五乙巳卒	六三
劉處玄	長生	東萊	金泰和三癸亥卒	五七
丘處機	長春	登州	元太祖廿二丁亥卒	八十
尹志平	清和	萊州	元憲宗元辛亥卒	八三
李志常	眞常	開州	元憲宗六丙辰卒	六四
張志敬	誠明	安次	元至元七庚午卒	五一
王志坦	淳和	湯陰	元至元九壬申卒	七三
祁志誠	洞明		元至元三十癸巳卒	七五
張志僊	玄逸		元至元卅一至大德六	
苗道一	凝和		元至大三	
孫德彧	開玄	眉山	元至治元辛酉卒	七九
藍道元			元至治二	
孫履道	明德		元泰定元二	
苗道一	凝和		元天曆二至元統元	
完顏德明	重玄		元元統三	

第二節　元代敕封天師道與其他

元代立國之初，由於「全眞道」丘長春的影響，朝廷內外，雖篤信西藏密宗的喇嘛教，亦曾有焚燬道教經典的事件，但對於儒家的孔子，與世居龍虎山的天師道，却能仍循宋代故事，又加敕封，而正其名爲正一教主。元朝尊封孔子的敕文，有云：「先孔子而聖，非孔子無以明。後孔子而聖，非孔子無以法。」不但爲元朝增加不少光采，同時也爲歷代尊崇孔子的頌詞中，無出其右的贊評。至於敕封張天師的經過與事實，如元史釋老傳所載云：

「正一天師者，始自漢張道陵，其後四代曰盛，來居信之龍虎山，相傳至三十六代宗演，當至元十三年，世祖已平江南，遣使召之，至則廷臣郊勞，待以客禮。及見，語之曰，昔歲己未，朕次鄂渚，嘗令王一清往訪卿父，卿父使報朕曰：後二十年，天下當混一，神仙之言，驗於今矣。因命坐，錫宴，特賜玉芙蓉冠，組金無縫服，命主領江南道教，仍賜銀印。十八年、二十五年，再入覲，世祖嘗命取其祖天師所傳玉印寶劍觀之，語侍臣曰：朝代更易已不知幾。而天師劍印傳子若孫，尚至今日，其果有神明之相矣乎？嗟嘆久之。二十九年卒。子與棣嗣為三十七代，襲掌江南道教。三十一年入覲，卒於京師。元貞元年，弟與材嗣為三十八代，襲掌道教，時潮嚙鹽官、海鹽兩州，為患特甚。與材以術治之，一夕大雷電以震，明日見有物魚首龜形者磔於水裔，潮患遂息。大德五年，召見於上都幄殿。八年，授正一教主，主領三山符籙。武宗卽位，來覲，特授金紫光祿大夫，封留國公，錫金印。仁宗卽位，特賜寶冠，組織文金之服。延祐三年卒。四年，子嗣成嗣為三十九代，襲領江南道教，主領三山符籙如故。」

此外，金元之際，在黃河以北，尙有劉德仁，創立的「大道教」。蕭抱珍創立的「太乙教」。皆不備述。

普及民間道教觀念的兩部書

元明之際，中國文學的趨向，已由漢文、唐詩、宋詞、元曲的演變，到了明代，遂流行語體小說。自元代羅貫中著三國演義以後，關羽、諸葛亮都變爲聰明正直的天神。繼之又有西遊記與封神榜的出現。從此而使道教的天、人、神三種關係的觀念，普遍傳佈，永爲後代中國民間社會的共同崇奉，對於道教天神信仰的宣傳，最爲有力。西遊記的故事，以唐代佛教的高僧玄奘法師爲主角，借用他留學印度的事實，演成唐三藏西天取經的經過，襯托道家修行煉丹成道的宗旨。封神榜則以歷來道家所崇拜輔助周武王開國的姜尙（子牙）爲主角，演成人與天神之間的關係，充分表現行善得道，作惡受報，褒揚聰明正直，死而爲神，天人合一的中國宗教精神。這兩部小說眞正的作者，現代學者雖有考證，但都仍有問題。據道佛兩家歷來相傳的觀念，認爲西遊記的作者，是站在道教立場來贊揚佛家的解脫。封神榜的作者，是站在佛教立場來贊成道家的精神。但無論如何，明代以後，中國民間宗教信仰的觀念，以及對道、佛兩教的認識，都由於此二書而來，乃至一般智識分子，亦附會因襲，始終不加深究，故對宗教思想，產生許多可以發噱的誤解。

姜子牙

第七章

明清時期的道教

第一節　明太祖與周顛

中國歷史，自秦、漢以後，任何政治清明的國家昇平階段，其思想與治術，大都有一共通原則，即「內用黃老、外示儒術」。且看每逢國家變故，起而撥亂反正的世代，多半有道家的人物，參與其間的現象，這幾乎已成爲過去歷史的定例。當明太祖朱元璋起義時期，除劉基、宋濂等人外，參與其間的道家幕後人物，尙有著名的顛仙周顛。其人以遊戲風塵，裝瘋作獃，周旋於殘暴成性的朱元璋幕後，與朱元璋的生命事業，都是休戚相關的。甚之後來朱元璋並尊道、佛兩教，亦因之已深結因緣，其事雖爲正史所不載，但朱元璋曾經親自爲他撰文，記述事實的眞相。讀其行文語氣，確是出於朱元璋的手筆，後人亦信以爲眞，當無疑問，玆錄之以明始末：

按：明太祖御製周顛仙人碑記云：「顛仙，周姓者，自言南康屬郡建昌人也。年一十有四歲，因患顛病，父母無暇常拘，於是顛入南昌乞食於市，歲如常，更無他往。元至正間，失記何年，忽入撫州一次，未幾，仍歸南昌。有時施力於市戶之家，日與稠人相雜，暮宿閭閻之下。歲將三十餘，俄有異詞，凡新官到任，必謁見而訴之，其詞曰：告太平。此異言也，何以見？當是時，元天下承平，將亂在邇，其顛者故發此言，乃曰異詞。不數年，元天下亂，所在英雄據險，殺無寧日。其稱僞漢陳友諒者，帥烏合之衆，以入南昌，其顛者無與語也。未幾，朕親帥舟師，復取南昌，城降，朕撫民旣定，而歸建業。於南昌東華門道左，見男子一人，拜於道傍，朕謂左右曰：此何人也。左右皆曰：顛者。朕三月歸建業，顛者六月至。朕親出督兵，逢顛者來謁，謂顛者曰：此來為何？對曰：告太平。如此者，朝出則逢之，所告如前，或左或右或前或後，務以此言為先。有時遙見以手入胷襟中、以手討物、以手置口中，問其故，乃曰：蝨子。復謂曰：幾何？對曰：二三斗。此等異言，大概知朕之不寧，當首見時卽言婆娘反。又鄉談中常歌云：『世上甚麼動復人心，只有膁脂胚粉動得婆娘隊裏人。』及問其故，對曰：『你只這般，只這般。』每每如此，及告太平，終日被此顛者所煩，特以燒酒醉之，暢飲弗醉。明日又來，仍以蝨多為說。於是製新衣易彼之舊衣，新衣至，朕視顛者舊裙腰間藏三寸許菖蒲一莖，謂顛者曰：『此物何用？』對曰：『細嚼飲水腹無痛。』朕細嚼水吞之。是後顛者日顛不已，命蒸之，初以巨缸覆之，令顛者居其內，以五尺圍蘆薪，緣缸煆之，薪盡火消，揭缸而視之，儼然如故。是後復蒸之，以五尺蘆薪一束半，以缸覆顛者於內，周遭以火煆之，烟消火滅之後，揭缸而視之，儼然如故。又未幾時，以五尺圍蘆薪兩束半，以缸覆顛者於內，煆煉之，薪盡火消之後，揭缸視之，其煙凝於缸底若張緜狀，顛者微以首撼，撼小水微出，卽醒無恙。命寄食於蔣山寺，主僧領之月餘，僧來告：『顛者有異狀，與沙彌爭飯，遂怒不食，今半月矣！』朕奇之，明日命駕親往詢視之，至寺，遙見顛者來迓，步趨無艱，容無饑色，是其異也。因盛餚饈同享於翠微亭，膳後，朕密謂主僧曰：『令顛者清齋一月，以視其能否？』主僧如朕命，防顛者於一室，朕每二日一問，問至二十有三日，果不飲膳，是出凡人也。朕親往以開之，諸軍將士聞之，爭取酒饈以供之，大飽，弗納，所飲食者盡出之。良久召至，朕與共享，食如前，納之弗出，酒過且酣，先於朕歸道傍側右邊，待朕至。及朕至，顛者以手畫地成圈，指謂朕曰：『你打破箇桶，做箇桶。』發此異言。當是時，金陵村民聞之，爭邀供養。一日逢後生者，俄出異詞曰：『噫！教你充軍便充軍。』又閒中見朕常歌曰：『山東只好立一箇省。』未幾，朕將西征九江，特問顛者曰：『此行可乎？』應聲曰：『可。』朕謂顛者曰：『彼已稱帝，今與彼戰，豈不難乎？』顛者故作顛態，仰面視房之上，久之，穩首正容以手拂之曰：『上面無他的。』朕謂曰：『此行你偕往可乎？』曰：『可。』詢畢，朕歸，其顛者以平日所持之楞擎之，急朕趨之馬前，搖舞之狀，若壯士揮戈之勢，此露必勝之兆。後兵行帶往，至皖城，無風，舟師難行，遣人問之，顛者乃曰：『只管行，只管有風，無膽不行便無風。』於是諸軍上牽，以舟泊岸，泝流而上，不二、三里，微風漸起，又不十里，大風猛作，揚帆長驅，遂達小孤。朕曾謂相伴者曰：『其顛人無正語，防閑之，倘有謬詞，來報。』後當江中江豚戲水，顛者曰：『水怪見前，損人多。』伴者來報，朕不然其說，以顛果無知，命棄溺於江中。至湖口，失記人數約有十七、八人，將顛者領去湖口小江邊，意在溺死，去久而歸，顛者同來，問命往者何不置之死地，又復生來？對曰『難置之於死。』語未既，顛者猝至，謂朕欲食。朕與之食，食既，顛者整頓精神衣服之類，若遠行之狀，至朕前鞠躬舒項，謂朕曰：『你殺之。』朕謂曰：『被你煩多，殺且未敢，且縱你行。』遂糗糧而往，去後莫知所之。朕於彭蠡之中，大戰之後，回江上，星列水師以據江勢，暇中試令人往匡廬之下，顛者所向之方，詢土居之民，要知顛者之有無。地荒人無，惟太平宮側，草莽間，一民居之，以顛者狀。示問之民人，對曰：『前者，俄有一瘦長人物，初至我處，聲言：好了，我告太平來了，你為民者，用心種田。語後於我宅內，不食半月矣，深入匡廬，莫知所之。』」朕戰後歸來，癸卯圍武昌，甲辰平荊楚，乙巳入兩浙，丙午平吳越、下中原、兩廣、福建，天下混一。洪武癸亥八月，俄有赤脚僧名覺顯者至，自言於匡廬深山巖壑中見一老人，使我來謂大明天子有說。問其說，迺云國祚殿廷儀禮司，以此奏。朕思方今虛誑者多，朕馭宇內，至尊於黔黎之上，奉上下於兩間，誤聽誤見，恐貽民笑，故不見不答。是僧伺候四年，仍往匡廬，意在欲見，朕不與見，但以詩二首寄之。去後二年，使人詢之，果曾再見否？其赤脚者云：『不復再見。』又四年，朕患熱症，幾將去世，俄赤脚僧至，言天眼尊者及周顛仙人遣某送藥至。朕初又不欲見，少思之，既病，人以藥來，雖真假合見之。出與見，惠朕以藥，藥之名，其一曰，溫良藥兩片，其一曰，溫良石一塊，其用之方，金盆子盛著，背上磨著，金甌子內吃一甌便好。朕遂服之，初無甚異。初服在未時間，至點燈時，周身肉內搐掣，此藥之應也。當夜病愈，精神日強，一日服過三番，乃聞菖蒲香，甌底有丹砂沈墜，鮮紅異世有者。其赤脚僧云：『某在天池寺，去巖有五里餘，俄有徐道人來，言竹林寺見，請某與同往，見天眼尊者坐竹林寺中，少頃，一披草衣者入。某謂天眼曰：此何人也？對曰：此周顛是也。方今人主所詢者，此人也。卽今人主所作熱，爾當送藥與服之。天眼更云：我與顛者和人主詩。某問曰：詩將視看。對曰：已寫於石上。某於石上觀之，果有詩二首。』朕謂赤脚曰：『還能記乎？』曰：『能。』卽命錄之，粗俗無韻無聯，似乎非詩也。及遣人詣匡廬召之，使者至，杳然矣！朕復以是詩再觀，其詞其字，皆異尋常，不在鐫巧，但說事耳，國之休咎存亡之道已決矣，故紀之，以示後人。」

第二節　明成祖與武當山的張三丰

明初有太祖朱元璋與其神仙朋友周顛的一段淵源，已與道教結下不解之緣。到明成祖稱帝的時期，忽又醉心傾慕習俗傳聞，活了兩三百年的神仙道人張三丰，不但屢下詔書訪求，並派遣使臣到處尋覓。後來又在湖北武當山爲張三丰大興土木，建設武當成爲道教的勝地。因此道教在明代，又平添武當張三丰的一派，以身心內煉金丹，達成性命的雙修的丹法爲主。明末以後，直到現在，其流風遺被，凡言武術技擊、氣功吐納、內功導引、男女採戰等江湖術士，無一不附會於張三丰而尊之爲嫡傳的祖師。聲名之隆，影響之大，自呂純陽以後，所有著名神仙方士，尚無出於其右者。且武當道士，自明代以後，又巍然自成一派，與「全

張三丰

眞」、「正一」等家，分庭抗禮，互不相下。武當道觀亦以供奉眞武大帝爲主，其旨趣雖略同於「全眞」，實則大異於唐、宋道教的崇拜對象。據湖北地方軼聞，武當道觀的眞武大帝聖像，實爲明成祖自己的塑像，但故作長髮仗劍，儼如天君神帝的形狀。究其動機，最初因聞其侄建文皇帝逃匿爲僧，隱於房縣。房縣原位於武當山脈，故興建道觀供奉眞武，作爲壓勝的象徵。事出有因，查無實據，若以成祖的爲人而論，其大興武當道觀的事實內幕，是否可能存有其他隱秘作用，誠難遽下斷語。至於張三丰與武當之因緣，是適逢其會，因此得一躍而爲後世道教武當宗派的祖師，寧非神仙奇遇！

按：明外史本傳：「張三丰，遼東懿州人，名全一，一名君寶，三丰其號也。以其不飭邊幅，又號張邋遢。頎而偉，龜形鶴背，大耳圓目，鬚髯如戟，寒暑惟一衲一蓑，所啖升斗輒盡，或數日一食，或數月不食，書經目不忘，或處窮山，或遊市井，能一日千里，嬉笑詼諧，旁若無人。嘗遊武當諸巖壑，語人曰：『此山異日必大興。』時五龍南巖繁霄俱毀於兵火，三丰去荊榛，辟瓦礫，與其徒創草廬居之，已而舍去，行遊四方，太祖故聞其名。洪武二十四年遣使徧覓之不遇，後居寶鷄之金臺觀。一日，自言當辭世，留頌而逝。縣人共棺斂之，及葬，聞棺內有聲，啓視則復活。乃遊四川，見蜀獻王。復入武當，歷襄漢，不常厥處。永樂中，成祖遣給事中胡濙偕內侍朱祥齎璽香幣往訪，積數年，窮陬僻壤皆到，迄不遇。乃命工部侍郎郭璡隆、平侯張信等，督丁夫三十餘萬人，大營武當宮觀，費以數百萬計，既成，賜名太嶽太和山，設官鑄印以守，竟符三丰言。或言三丰金時人，元初與劉秉忠同師，後學道於鹿邑之太清宮，與里人張毅相習。毅四世孫朝用，嘗遊寶鷄遇三丰，問：『汝家名毅者為誰？』答曰：『吾高祖也。』三丰曰：『吾曾見其始生時，今孺子亦漸長，努力讀書，官可至三品。』後亦符其言。天順三年，英宗賜誥，贈為通微顯化真人，然竟莫測其存亡也。」

按：武當山志：「三丰號元元子，又號張邋遢，遼東懿州人，張仲安第五子也。寓居鳳翔寶鷄縣之金臺觀修煉，忽留頌而逝，士民楊軌山殮之，臨窆復生，以一小鼓留其家。入蜀轉楚，或隱或現，有問以大道者，專以仁義勸人，事皆先見，往來鶴鳴山，半歲失所在。嘗至甘州張指揮家，遺一中袖及葫蘆。天順間，甘肅總兵官王敬患中滿疾，諸醫不能療，以中袖火煅服之愈。後葫蘆忽自震碎，留楊氏小鼓，雖憂大鏞不能混其聲，後亦亡去。又舊志載張全一號三丰，相傳留侯之裔，洪武初遍歷諸山，搜奇覽勝，乃至武當結庵，常與耆舊語云：『吾山異日與今，大有不同。』命丘玄清住五龍、盧秋雲住南巖、劉古泉楊善澄住紫霄，又結庵展旗峯北曰：『遇真宮黃土城內曰會仙館。』語弟子周真德曰：『爾可善守香火，成立自有時來，非在予也。』洪武二十三年拂袖長往，不知所之。二十四年詔遣三山高道，清理道教曰：『張元元者可請來。』永樂十年，遣使致香書，屢訪不獲。正統元年，誥贈為通微顯化真人。』

第三節　明世宗與陶仲文的前因後果

明太祖朱元璋起義，克復南昌先後時期，世居江西龍虎山嗣漢張天師的四十二世孫張正常，自元代賜號天師以來，卽曾以天師身份自居，兩度入朝。洪武元年又入賀卽位。明太祖却謂：「天有師乎？」乃改授爲正一嗣教眞人，賜銀印，秩視二品，設寮佐，曰贊教，曰掌書，遂爲定制。以後天師世系，在明代時期，封秩一如舊制而不衰。如明史方伎傳云：

「張氏自正常以來，無他神異。專恃符籙，祈雨驅鬼，間有小驗。顧代相傳襲，閱世已久，卒莫廢去云。」

由此直至明世宗嘉靖年間，忽然又崇信神仙道士長生不老之術，而大開道士升官的途徑，一如道君皇帝宋徽宗的作風。雖然其後果收場，尙不至於如宋徽宗的悲慘，但世宗因服方士的丹藥而死，却足爲後世富貴多欲中人，妄求長生不老的警戒。如史云：

「世宗嘉靖三年，道士邵元節入京，封為真人，統轄三宮，總領道教，賜金玉銀象印各一。元節，貴溪人也。幼喪父母，出家為龍虎山上清宮道士。又師事李伯芳、黃太初，咸盡其術。甯王宸濠召之，辭不往，放浪江湖間。世宗嗣位，惑內侍崔文等言，好鬼神說，日事齋醮，諫官屢以為言，不納。嘉靖三年，徵元節入京，見於便殿，大加寵信，俾居顯靈宮，專司禱祀，雨雪愆期，禱有驗。封為清微妙濟守靜修真凝元衍範志默秉誠致一真人。統轄朝天、顯靈、靈濟三宮，總領道教。……元節卒，贈少帥，諡為文唐榮靜真人。……隆慶初，削元節秩諡。」

「嘉靖十八年，授陶仲文高士號，尋封真人。陶仲文，初名典真，湖北黃岡人。好神仙方術，嘗受符水訣於羅田萬玉山，與邵元節善。嘉靖中，由黃梅縣吏，為遼東庫大使，秩滿，需次京師，寓元節邸。元節年老，宮中黑眚見，治不效，因薦仲文於帝，以符水噀劍，絕宮中妖。莊敬太子患痘，禱之而瘥，帝深寵異。十八年，南巡，元節病，以仲文代，次衞輝有旋風繞駕，帝問此何祥也？對曰：『主火。』是夕，行宮果火，宮人死者甚多，帝益異之。授神霄保國宣教高士，尋封神霄保國弘烈宣教振法通真忠孝秉一真人，領導教事。尋加少保禮部尚書，又加少傅，又加少師，食一品俸。前此大臣，無兼總三孤如仲文者。十九年，授陶仲文恭誠伯，其徒封真人，廕子世昌為國子生。三十九年，冬十一月，秉一真人領道教事少傅禮部尚書恭誠伯陶仲文卒。」

關於明世宗學道的事，當時反對最力，膽敢直言諍諫者，唯見大臣海瑞而已，如史載：

「丙寅四十五年，春，正月，帝不豫。先是，方士王金陶倣劉文彬、申世文、高守中、陶世恩偽造諸品仙方，以金石藥進御，性燥熱，帝服，稍稍火發，不能癒。至是，諭徐階欲幸承天，拜顯陵，取藥服氣，階奏止之。下戶部主事海瑞獄。瑞上言：『陛下卽位初年，敬一箴心，冠履分辨，天下忻忻謂煥然更始。無何而銳精未久，妄念牽之，謬謂長生可得，一意脩玄，土木興作，二十餘年，不視朝政，法紀弛矣，數行推廣事例，名器濫矣。二王不相見，人以為薄於父子；以猜疑誹謗戮辱臣下，人以為薄於君臣；樂西苑而不返大內，人以為薄於夫婦。今愚民之言曰，嘉者家也，靖者盡也，謂民窮財盡，靡有孑遺也。然而內外臣工，脩齋建醮，相率進香，天桃天樂，相率表賀，陛下誤為之，群臣誤順之。臣愚謂陛下之誤多矣，大端在玄脩，夫玄脩，所以求長生也。堯舜禹湯文武之為君，聖之至也，未能久世不終，下之方外士，亦未見有歷漢唐宋至今存者。陛下師事陶仲文，仲文則既死矣，仲文不能長生，而陛下獨何求之？至謂天賜仙桃藥丸，怪妄尤甚，桃必採乃得，藥必搗乃成，茲無因而至，有脛行邪，云天賜之，有手授邪，然則玄脩之無益可知矣。陛下玄脩多年，靡有一獲，左右奸人，揣逆聖意，投桃設藥，以謾長生，理之所無，斷可見已。陛下誠翻然悟悔，旦旦視朝，與輔宰九卿，侍從言官，講求天下利害，洗數十年君道之誤，置身堯舜禹湯文武之域，使諸臣亦洗心數十年阿君之恥，置身皋夔伊傅周召之列，民熙物洽，薰為太和，陛下性中真藥也。道與天通，命由我立，陛下性中真壽也。此理之所有，可旋至立效，乃懸思服食不終之餌，鑿想遙與輕舉之方，求之終身，不可得已。』疏奏，上大怒，命逮繫瑞鎮撫獄。冬，十二月，帝崩。」

第四節　明末清初道家派別的分支

明末清初，儒、釋、道三家之學，亦隨國運而有變動，宋明新儒家的理學，自王陽明以後，已如強弩之末，學說過於支蕪。禪宗自密雲悟、破山明、漢月藏以後，也多流於口頭禪，極少眞參實證之輩。道家亦自呂純陽、張紫陽以後，主要化分爲四派：明嘉靖間，新興東派，從陸潛虛等爲主，以雙修爲尙。淸咸豐間又有西派產生，從李涵虛爲主，以性命爲宗。南派則遠承張紫陽，旁出多門。北派自丘長春以後，卽成爲道教北宗龍門派的砥柱。此外，有伍冲虛，柳華陽師徒爲主的伍柳派，專主練精化氣，煉氣化神，煉神還虛的內功丹法，以斷慾而修證身心氣脈，幻出化身以成神仙正果，其說似是而非，不脛而走，不久卽普遍流傳民間。自清初以至現在，幾已掩沒數千年來正統道家神仙方士所有的學術，實爲正統道家的枝指，不及詳論，但一二百年以來，凡言道家修煉的丹法，莫不奉之爲金科玉律，仙才衰落，辨正無人，殊可歎息。至於師承不同，各立宗旨，凡此各派，因限於篇幅，亦不詳論。

此外，自明末國破，滿清入關之初，有明朝進士楊來如，在山東、河北一帶，創設理門（現在稱爲理教），綜合儒、釋、道三家修心養性的一般方法，類似宋末元初的「全眞道」，雖其初立教的方式，亦與道教有關，但現在已自成爲新興的另一宗教，亦不備述。

第五節　康熙雍正與道教

滿清興起的初期，遠在東北，早已有一位有道家學術修養的范文程，爲其灌輸道家政治思想。及至康熙時代，「外示儒術，內用黃老」的政治方法，亦成爲康熙建立大清帝國的最高原則。他曾頒發老子一書，命令滿族王公大臣，熟習深思，作爲政治哲學與政略運用的根本法則。但對於道教，除循例封贈張天師世系，以爲羈縻之外，對其餘有關道教各派，因鑒於元朝白蓮教的故事，舉凡類似另有門派組織，或近於巫覡邪者，皆在嚴禁之例。

如大清會典載：

「崇德間，定滿洲蒙古漢軍巫師道士跳神驅鬼逐邪以惑民心者處死，其延請跳神逐邪者亦治罪。

康熙元年，凡有邪病請巫師道士醫治者，須領巫師道士禀知各都統用印，文報部方許醫治，違者將巫師道士交刑部正法，其請醫治之人，交刑部議罪。

康熙十二年，議准無為白蓮焚香混元龍元洪陽圓通大乘等邪教，惑衆聚會念經，執旗鳴鑼，聚衆拈香者，通行八旗直省，嚴行禁飾，違者照例鞭責枷號。」

其時，清代的學術，概如儒、釋、道三家之學，正有變今而返古，效古而趨新的動向。儒家思想，由理學的空談性命，一變而爲崇效漢學，走向清儒樸學的路線。佛家的禪宗，則由口頭禪轉變爲坐禪習定的舊路。道家的丹法，也從迷離雜亂的旁門，而步入漢魏之間方士修煉身心的途徑。故代表道教的，除了北宗「全眞道」的龍門派，與張天師世系的正一派以外，其餘皆已若隱若現，碌碌微不足道。雍正登位以後，自己兼以大宗師的身份，提倡禪宗，同時也留心道家學術，推崇正統道家的張紫陽，親自爲其所著的悟眞篇作序，備極讚賞。

如云：「紫陽真人作悟真篇，以明元門秘要，復作頌偈等三十二篇，一一從性地演出西來最上一乘之妙旨。自敍云：此無為妙覺之至道也。標為外集，夫外之云者，真人豈以元門為內，而以宗門為外哉！審如是，真人止應專事元教，又何必旁及於宗說，且又何謂此為最上，豈非以其超乎三界，真亦不立，故為悟真之外也歟。真人云：世人根性迷鈍，執其有身，惡死悅生，卒難了悟，黃老悲其貪著，乃以修生之術，順其所欲，漸次導之。觀乎斯言，則長生不死，雖經八萬刧，究是楊葉止啼，非為了義，信矣。若此事，雖超三界之外，仍不離乎一毛孔之中，特以不自了證，則非人所可代，學者將箇無自味語，放在八識田中，奮起根本無明，發大疑情，猛利無間，縱喪身失命，亦不放捨，久之久之，人法空，心境寂，能所亡，情識盡，並此無義味語，一時忘却，當下百雜粉碎，覿體真純，此從上古德所為，決不相賺者，真人以華池神水，溫養子珠，會三界於一身之後，能以金丹作無義味語用，忽地翻身一擲，抹過太虛，脫體無依，隨處自在，仙儁哉，大丈夫也，篇中言句，真證了徹，直指妙圓，卽禪門古德中，如此自利利他，不可思議者，猶為希有，如禪師薛道光皆皈依為弟子，不亦宜乎，刋示來今，使學元門者，知有真宗，學宗門者，知惟此一事實，餘二卽非真焉，是為序。」

「切以人之生也，皆緣妄情而有其身，有其身則有患，若其無身，患從何有，夫欲免夫患者，莫若體夫至道，欲體夫至道，莫若明夫本心，故心者道之體也，道者心之用也，人能察心觀性，則圓明之體自現，無為之用自成，不假施功，頓超彼岸，此非心鏡朗然，神珠廓明，則何以使諸相頓離，纖塵不染，心源自在，決定無生者哉，然其明心體道之士，身不能累其性，境不能亂其真，則刀兵烏能傷，虎兕烏能害，巨焚大浸烏足為虞，達人心若明鏡，鑑而不納，隨機應物，和而不唱，故能勝物而無傷也。此所謂無上至真之妙道也，原其道本無名，聖人強名，道本無言，聖人強言爾，然則名言若寂，則時流無以識其體而歸其真，是以聖人設教立言以顯其道，故道因言而後顯，言因道而返忘，奈何此道至妙至微，世人根性迷鈍，執其有身，而惡死悅生，故卒難了悟，黃老悲其貪著，乃以修生之術，順其所欲，漸次導之，以修生之要在金丹，金丹之要在乎神水華池，故道德陰符之教，得以盛行於世矣！蓋人悅其生也，然其言隱而理奧，學者雖諷誦其文，皆莫曉其義，若不遇至人授之口訣，縱揣量百種，終莫能著其功而成其事，豈非學者紛如牛毛，而達者乃如麟角也，余向己酉歲於成都，遇師授丹法，當年且生公傾背，自後三傳於人，三遭禍患，皆不逾兩旬，近方憶師之所戒，云異日有與汝解韁脫鎖者，當宜授之，餘不許爾，後欲解名籍，而患此道人不知信，遂撰此悟真篇，敘丹藥本末，既成，而求學者湊然而來，觀其意勤，心不忍秘，乃擇而授之，然而有所授者，皆非有巨勢強力，能持危拯溺，慷慨特達，能仁明道之士，初再罹禍患，心猶未知，竟至於三，乃省前過，故知大丹之法，至簡至易，雖愚昧小人，得而行之，則立超聖地，是以天意秘惜，不許輕傳於非其人也，而余不遵師語，屢泄天機，以其有身故，每膺譴患，此天之深戒，如此之神且速，敢不恐懼克責，自今以往，當鉗口結舌，雖鼎鑊居前，刀劍加項，亦無復敢言矣，此悟真篇中，所歌詠大丹藥物火候細微之旨，無不備悉，好事者夙有仙骨，觀之則智慮自明，可以尋文解義，豈須余區區之口授之矣。如此乃天之所賜，非余之輒傳也，如其篇末歌頌，談見性之法，卽上之所謂無為妙覺之道也。然無為之道，齊物為心，雖顯秘要，終無過咎，奈何凡夫緣業有厚薄，性根有利鈍，縱聞一音，紛成異見，故釋迦文殊所演法寶，無非一乘，而聽學者隨量會解，自然成三乘之差，此後若有根性猛利之士，見聞此篇，則知余得達摩六祖，最上一乘之妙旨，可因一言而悟萬法也，如其習氣尚餘，則歸中小之見，亦非余之咎矣。」

從此以後，終滿清兩百餘年的天下，太平天國的起義，已非中國固有宗教的面目。義和團的事件，是假託符咒神鬼，借道以暴動，應與道教無關。

第八章
二十世紀的道教

第一節　十九世紀末道教的衰落

中國文化與宗教，在滿清中葉以後，概受西洋文化思想輸入的影響，一蹶至今，尚未重新振起。自十九世紀以來，正式代表道教的勝地觀宇，舉其犖犖大者，如北平的白雲觀、成都的青羊宮、甘肅的崆峒山、陝西的華山、山東的勞山、四川的青城山、廣東的羅浮山、江西龍虎山的天師派、湖北的武當山、福建的武夷山、浙江的天臺山等處，雖然還保有道教觀宇與若干道士，仿效佛教禪宗的叢林制度，各別自加增減，設立規範，得以保存部分道教的形式，但已奄奄一息，白顧不暇，更無餘力做到承先啓後，開展弘宗傳教的事業了。何況道士衆中，人才衰落，正統的神仙學術無以昌明，民間流傳的道教思想，往往與巫蠱邪術不分，致使一提及道教，一般觀念便認與畫符念咒，妖言惑衆等交相混雜，積重難返，日久愈形鄙陋。民國初年，北洋軍閥時期，曾藉口破除迷信，擬欲没收道觀土地財產，一律與佛教併案辦理，事詳二十世紀之佛教。後來，因佛教有中國佛教會的組織成立，道教也隨之援例成立中國道教會。但道教會中人，散漫膚淺，尤甚於信仰佛教的人士，可謂：「佛規道隨」，徒有形式而已。同時國人們將「義和團」思想，與圓光、看相、算命、占卜、咒水、畫符等等江湖粗淺邪術，一概誤會傳附於道教，益使五千年文化精英所獨創的宗教，蒙受百般誤解與侮辱，殊堪浩歎！「物必自腐而後蟲生。」凡有志振興道教之士，先當自求振奮，然後方可言其大者。清代人舒位所謂：「未有神仙不讀書」，實足發人深省。

第二節　當代學人研究道教學術的活動

一、影印道藏的發起

民國十二年間，因康有為、梁啓超師生的倡議，有徐世昌的出面，曾經捐資影印北平白雲觀藏版的道藏，如其緣起所云：

「道家之書，薈粹成藏，始自六朝，歷唐、宋、金、元遞有增輯，卷帙繁夥，靡可殫究。其詳見於至元十二年道藏尊經，歷代綱目刻石；至明正統十年重輯全藏以千文編次，自天字至英字，萬曆三十五年續藏自杜字至纓字，三洞四輔十二類，都五百二十函五千四百八十五册，經廠刊版，率用舊規。傳至有清，舊庋於大光明殿，日有損缺，迨庚子之亂，存版盡燬，各省道觀藏本亦稀，京師白雲觀乃長春真人祖庭，為北宗靈宇，獨存全藏，幾成孤帙。雖經籙符圖，類屬晚出，而地誌傳記旁及醫藥占卜之書，或出晉宋以前，或為唐人所撰，清代四庫既未甄收，藏書家亦鮮傳錄，其中周秦諸子半據宋刊金元專集，尤多秘笈，乾嘉學者研索及斯，隻義單辭，珍侔星鳳，采輯未竟，有待方來，至若瓊簡琳文，玄言畢萃，非資博覽，曷闡真源，宗教學術所係重矣。僕等遠懷神契，近閲頹波，深懼古籍就湮，幽詮終閟，因議重印，用廣流傳。經東海徐公慨出俸錢，成斯宏舉，合並梵夾，改為線裝，摹影校勘，三載克畢，海內閎達，尚垂察焉。發起人：李盛鐸、田文烈、張文濟、趙爾巽、梁啓超、錢能訓、江朝宗、康有為、熊希齡、黃炎培、張謇、董康、傅增湘同啓。」

二、道藏精華錄的編輯

影印道藏以後，又有守一子編輯道藏精華錄一百種，在上海出版行世，其前言如云：

「夫道，豈遠乎哉。只在自己身中，不須向外馳求。苟得其旨，自易超脫。若擇學不精，則誤入旁邪，非徒無益，而又害之。當此之時，學道者不特無明師指示，無天仙秘帙之可見，雖欲求一理明詞正之道書，且不易多得。道藏書，世不數數覯，即道藏目錄，甚至道藏輯要目錄，亦不易見。守一子有鑒於此，爰竭其數年之勤，採輯道藏及雲笈七籤中之精華，並搜羅古書中關於玄學者最有精義之諸書，而成道藏精華錄一百種。凡太上秘旨、南北玄學、養生要訣、導引捷法，無不畢備。可知此書一出，直為學道者暗室中置一明燈，迷海上架一津梁也。養生者得此書，依養生法行之，則延年可必。志小成中成者，得此書各擇其一法而修之，則人仙地仙可致。志大成者，得此書而精詳參之，則無異遇明師之耳提面命，自能一超直入，立躋聖域，天仙可成也。」

該書現在臺灣，由蕭天石創辦的自由出版社影印流通，雖稍加改編，仍不失其原來系統。

第三節　研究道教學術的人士

一、劉師培的讀道藏筆記

現代學者不以先入爲主的成見，尙肯致力讀完全部道藏者，恐怕絕無僅有之事，何況進而能深通丹經內典，從事研究，別有心得與發現者，更不易覯。民國以來，學者瀏覽部分道藏而作有筆記者，唯見劉師培讀道藏記一文而已，如其自序所云：

「西晉以前，道書篇目，略見抱朴子遐覽篇，次則甄鸞笑道論，頗事甄引，均屬漢魏六朝古籍。晚近所存，什无二三，卽崇文總目中興書目所著錄，亦復十亡其六。今之道藏，刊於明正德間，經籙符圖，半屬晚出，然地志傳記，旁逮醫藥占卜之書，採錄轉衆，匪惟諸子家言已也。故乾嘉諸儒，搜集舊籍，恒資彼藏，顧或錄副未刊，致鮮傳本，迄於咸同之際，南藏毀於兵，北藏雖存，覽者逾尠，士弗悅學，斯其徵矣。予以庚戌孟冬旅居北京白雲觀，乃啓閱全藏，日盡數十册，每畢一書，輒誌其序跋，撮其要旨，若鮮別刊，則囑僕人迻錄，略事考訂，惟均隨筆記錄，未足為定稿，玆先差揀若干條，錄成一帙，以公同好之士云。庚戌孟冬劉師培記。」

二、陳攖寧的實驗丹道

此外，民國二十五年間，有專門研究丹道，有志求仙的陳攖寧，在上海創辦「修道集團」及「中華道教會」，其宗旨概如宣言，啓事諸文。此派人士，主張實驗修煉爲務，其從學諸人，曾集各地每人用功經驗，彙編成書，今經人編集，稱爲明道語錄以行世。猶如蔣維喬用道家靜坐工夫而生初步的效驗，卽著因是子靜坐法，以傳世一般，足貽初學者以參考。

附陳攖寧所撰前中華道教會宣言：

「粤自崆峒演教，軒轅執弟子之儀。柱下傳經，仲尼興『猶龍』之嘆。道教淵源，由來久矣。蓋以天無道則不運，國無道則不治，人無道則不立，萬物無道則不生，道豈可須臾離乎。夫道有入世，必有出世，有通別，亦有旁支。若彼磻溪垂釣，呂尚扶周；圯橋授書，子房佐漢；三分排八陣之圖，名成諸葛；一統定中原之鼎，策仗青田，此入世之道也。又若積精累氣，黃庭經顯示真修，抽坎填離，參同契隱藏口訣；勾漏丹砂，談稚川之韻事；松風庭院，羨弘景之閒情，此出世之道也。況復由道而通於政，則有洪範九疇，周官六部；由道而通於兵，則有陰符韜略，孫武權謀；由道而通於儒，則有仲舒揚雄、濂溪康節；由道而通於法，則有商鞅李悝、申子韓非；由道而通於醫，則有素問靈樞、千金肘後；由道而通於術，則有五行八卦、太乙九宮，此道家之通別也。以言煉養，則南方五祖，北地七真，雙延緒脈，以言醮籙，則句容茅山，江西龍虎，咸擅威儀，此道教之支派也。至於小道之巫醫，則辰州祝由，救急屢驚奇效；術道之拳技，則武當太極，工夫授自明師，誠可謂道海汪洋，莫測高深之量，道功神秘，難覓玄妙之門矣。再論及道藏全書，閱四千餘年之歷史，擁五千餘卷之縹緗，三洞四輔之歸宗，一十二部之釋例，尊之者，稱為雲篆天章，赤文紫字，美之者，比喻琅函瓊札，玉版金繩，姑勿辯其是非，要可據為考證。歷代佚亡典籍，猶多附此而存，豈惟道教門庭之光輝，亦是中華文化之遺產，雖嫌雜而多端，小儒咋舌，所幸博而能約，志士關懷。請慢嗤迷信，須知乃昔賢抵抗外教侵略之前鋒，切莫笑空談，應恃作今日團結民族精神之工具。嗟夫！世變已亟，來日大難，強敵狼吞，群夷鴟顧，此何時耶。倡本位文化救國說者，固一致推崇孔教矣，然孔教始於儒家，儒家出於道家，有道家遂有道教，試以歷史眼光，觀察上下五千年本位文化，則知儒家得其局部，道家竟其全功，儒教善於守成，道教長於應變，事實具在，毋庸自謙。故嘗謂吾國，一日無黃帝之教，則民族無中心；一日無老子之教，則國家無遠慮。先武功，後文治，雄飛奮勵，乃古聖創業之宏規，以柔弱，勝剛強，雌守待時，亦大智爭存之手段。積極與消極，道原一貫，而用在知幾；出世與入世，道本不同，但士各有志。他教每厭棄世間，妄希身後福報，遂令國家事業，盡墮悲觀，道教倡唯生學說，首貴肉體健康，可使現實人生，相當安慰。他教侈講大同，然弱國與強國同教，後患伊於胡底，道教基於民族，苟民族肯埋頭建設，眼前即是天堂。嗚呼！蒐百家之總鑰，濟儒術之窮途，攬國學之結晶，正新潮之思想，捨吾道教，其誰堪負此使命哉！今夫有道自不能無教，無教則道何以弘，有教自不能無會，無會則道何以整，同仁等忝屬黃帝子孫，生在中華國土，大好河山，慨念先民之遺烈，異端角逐，忍看國教之淪亡，爰集同志，組織此會，根據現行法律，擬定規條，呈請黨政機關，准許成立。從茲大道偕八德同流，道儒何妨合作；達變與經常並重，奇正相輔而行。將見禹域風披，具身使臂，臂使指之效，天人感應，徵危轉安，逢凶化吉之祥，民族精神，庶有賴焉。黃帝紀元四千六百三十三年即中華民國二十有五年，中華道教會同仁謹佈。」

又：前上海丹道刻經會啓事文云：

「原夫道以人弘，慧由心發，故積功累德，則魔障不侵，闡教利生，則薪傳無盡，利人即以利己，度己本為度人，人己兩利，福慧雙修，世間一切，尚不外此，況我國數千年來羲農黃老一派源流之仙學乎。夫仙學內化身心，外融物質，既非宗教家之談空，又異惟物派之逐末，超凡絕俗，孰與比倫，雖然高則高矣，若無文字以傳之，則其利不能普及，福慧安得雙圓。是用糾集同志，創設本會，至希賢達君子，樂為參加，成出借以藏書，或賜贈以著作，俾集資付印，設法流傳，共建曠代殊功，造成無限天仙，本會同仁不勝馨香以禱祝焉。」

又：前上海揚善半月刊社爲修道集團事徵求同志意見文云：

「修道之事，不貴空談，而貴實行，實行辦法，首在組織團體。試觀近代國家與社會，無論政治經濟學術宗教，皆趨向於集團制度，蓋以大勢所迫，非如此不足以有為也，國內好道之士，頗不乏人，其數當以萬計，然一考其現狀，多為環境所困，不能實行，抱道終身，於事何補，非但財力薄弱者有此遺憾，卽富厚之家，亦不免蹉跎歲月，成效難期，其弊皆由於缺乏一完美組織之故耳。同人等籌畫至再，認為今日若言脩道，決非箇人之心思財力孤立獨行者，所能勝任，必須合群策群力以赴之，始克有濟，茲特將最關緊要各問題，開列於左，以便同志諸君之討論。」

民國三十八年以後，道教人士在臺灣的活動，有立法委員趙家焯的首倡，卽與六十三代天師張恩溥重整道教會，宣傳組織，均甚積極。他如著書弘揚道家學術，並影印發行道書丹經，如蕭天石主辦的自由出版社等。復由道教蛻變，自創新時代的宗教，如立法委員王寒生創設的軒轅教。重新影印道藏，傾銷世界各國，如嚴一萍主辦的藝文印書館。凡此種種，直接或間接，對於二十世紀之道教，都有莫大的因緣。

附錄㈠

海內外道教士之統計

道教受古道教之傳承，其理論又復受道家之影響，所衍教派甚多，就純宗教方面分之，則有積善、經典、丹鼎、符籙、占驗等派。而丹鼎、符籙二者，在白雲觀諸眞宗派總簿所載，已有八十六派；其未列入總簿者，尚不知凡幾？總之，今之所謂仙佛合宗，三教合一，五教合一，皆屬道教，固無疑也。在臺新起之教派，與早年傳來，及近期由大陸或海外傳入，舉其著者，有理教、儒教、齋教、福教、德教、神教、軒轅教等。似此同屬中國固有宗教，崇奉道教祖師，發揚道教思想者，爲求統一步調，團結一致，同謀發展起見，實應聯絡一氣，融爲一體，似不宜多立門戶，各走一端？道教會本此意旨，刻正多方連繫，力求團結，冀能提早結束此一紛歧現象。

民國五十年七月道學雜誌第五册載：

道教海外道教士統計表

資料時間：根據民國四十一年中華日報編印之世界要覽記載。

各洲信教人數：

北　美　洲……　一五、〇〇〇人

南　美　洲……　一七、〇〇〇人

歐　　　洲……　一二、〇〇〇人

非　　　洲……　一、〇〇〇人

大　洋　洲……　八、〇〇〇人

亞　洲……九〇〇、〇〇〇人（我國國內人數不含）

全國道教士統計表

資料時間：根據江西龍虎山天師府民國三十八年調查所得。

各道派道教士人數：

積　善　派……　　七六九萬

經　典　派……　　七八六萬

丹　鼎　派……　　九三四萬

符　籙　派……一、七〇〇萬

占　驗　派……　　八六四萬

道教各教派教徒，據中華日報之統計，在北美約一萬五千人，南美約一萬七千人，歐洲約一萬二千人，亞洲五千萬人（大部在國內），非洲約一千二百人，大洋洲約八千人，總計五千萬〇〇五萬餘人。

附錄(二)

臺灣省道教會章程

第一章　總　則

第　一　條：本會定名為臺灣省道教會，以下簡稱本會。

第　二　條：本會以研究道學，闡揚教義，提倡人倫，砥礪道德，保全民族文化，增進社會福利為宗旨。

第　三　條：本會以臺灣省行政區域為組織範圍。

第　四　條：本會必要時，得呈經主管官署核准後，於各縣市設立分會或聯絡處，其組織簡則另訂之。

第　五　條：本會會址，設於臺灣省政府所在地。

第二章　任　務

第　六　條：本會任務及應辦事項如左：

一、遵奉國家法令，提倡道德，改良社會風俗事項。

二、舉辦道學講習，培植人才，推行宗教教育事項。

三、興辦救濟慈善公益教育文化諸種事業，服務人群，增進社會福利事項。

四、保存道教廟宇名勝古跡，美化道廟環境事項。
五、整理道教經典科儀規例，劃一教規儀法事項。
六、設立佈教場所，編印書刊，宣揚道教教義事項。
七、辦理其他有關道教事項。

第七條：本會舉辦各項事業之計劃章則，須專案呈報主管官署核備。

第三章　會員

第八條：凡中華民國年滿廿歲以上之道教居士，道院法壇道士，及社會善信，均得由會員二人以上介紹，塡具入會申請書，經理事會通過爲本會會員，必要時並得分別稱爲居士道士及信士會員以利會務之推進。

第九條：凡廟府宮觀，及以道教神爲主神之廟宇團體，均得參加本會爲團體會員，塡具申請書，經理事會審查合格後，取得團體會員之資格，團體會員得指派代表一人出席本會會員大會，惟無被選舉權。

第十條：會員入會後，由本會發給證書、證章、其工本費由會員繳納之。

第十一條：本會會員退會或開除後，對本會之財產無請求權利，「在退會開除前如有欠繳會費仍須一律繳淸」。

第十二條：本會會員有下列之權利：

一、發言權，與表決權。

二、選舉權，與被選舉權。

三、本會舉辦事業收益之享受。

四、會員或分會間發生糾紛，得請本會解決之。

五、會員舉辦有關教務之事業，得請本會協助之。

六、道士會員、得代人修建科醮、

七、會員得被選爲廟宇主持。

第十三條：本會會員有左列之義務：

一、遵守章程決議案，並勵行本會宗旨。

二、襄助本會辦理一切事務。

三、繳納常年會費，並酌助本會基金。

第十四條：本會會員如有違犯章程，或其他不法行爲者，由理事會議決開除之，團體會員由理事會報請主管官署核辦，其情節較輕者，予以警告。

第四章　組織及職權

第十五條：本會以會員大會、或會員代表大會，爲最高權力機關。

第十六條：本會設理事會，爲執行機關，由會員大會，或會員代表大會選舉理事十九人組織之，並設候補理事五人，由理事中互選五人爲常務理事，並就常務理事中推選一人爲理事長，遵照會員大會或會員代表大會決議案，辦理會務。

第十七條：本會設監事會，爲監察機關，由會員大會會員代表大會選舉監事五人組織之，並設候補監事三人，由監事中互選一人爲常務監事，對理事會執行會務負監察之責。

第十八條：本會理事監事，均爲名譽職，任期二年，連選得連任。

第十九條：本會理監事，如違犯章程及其他不法行爲者，由會員大會或會員代表大會罷免之。

第二十條：本會設名譽理事長一人，名譽理事，及顧問若干人，均爲名譽職，贊助會務，道教天師府天師，爲名譽理事長，道教居士會各道院主持人，爲名譽理事，均由理事會聘請之。

第二十一條：本會理事會以下，設總務組、教導組、管理組、服務組，四組分掌各項事務如左：

一、總務組：掌理會計、庶務、保管等事項。

二、教導組：掌理教育、編輯、宣傳等事項。

三、管理組：掌理登記、調查、統計等事項。
四、服務組：掌理救濟、福利、調解等事項。

第二十二條：本會設總幹事一人，各組設組長一人、幹事若干人，組長由理事兼任，總幹事、幹事，由理事會聘任之，酌給薪金、其標準，由理事會就年度預算內議定之。

第二十三條：本會於必要時，得設置各種委員會。

第五章　會　議

第二十四條：會員大會，或會員代表大會，每年召開一次，理事會認為必要，或經會員五分之一，或會員代表三分之一以上請求時，得召開臨時會員大會，或臨時會員代表大會，選舉簡則，另訂之。

第二十五條：理事會三個月召開一次，監事會每六個月召開一次，必要時，得召開臨時會議，或舉行理監事聯席會議。

第二十六條：會員大會、或會員代表大會召開時，由理事會提出會務報告，並須請主管官署派員指導。

第六章　經　費

第二十七號：本會經費來源如左：

一、入會費。

二、常年會費。

三、樂捐。

前項第一第二兩款入會費常年會費，均由理事會議決，呈報主管官署核准行之。

第二十八條：本會辦事細則，及各種章則另訂之。

第二十九條：本會章程經會員大會，或會員代表大會通過呈報主管官署核准後施行，修改時亦同。

附錄(三)

推介中國傳統文化主流之一的「道藏」緣啓

中國文化，爲東方學術思想之主流，此爲世界學者所知之事。而中國文化之中堅，實爲道家之學術思想，此則往往爲人所忽略。蓋自秦漢以後，儒道與諸子分家，儒家學術，表現其優越成績於中國政治社會間者，較爲明顯。道家學術則每每隱伏於幕後，故人但知儒術有利於治國平天下之大計，而不知道術實操持撥亂反正之機樞。更何況後世之言治術與學術思想者，雖皆內用黃老，外示儒術，而故作入主出奴之筆，使人迷惑其源流。復因歷代修纂歷史學者，與乎明清兩代編集羣書：如永樂大典、四庫全書等。主持之編纂者，大抵皆極力標榜儒術而偏斥道家。於是冠以經、史、子、集爲正統傳統文化之經緯，外若道家學術，若不冠以異端偏說之論，卽漫存少數於子部之中。雖賢如紀曉嵐亦有明言評其內容爲『綜羅百代，博大精微』之語，要皆囿於傳統學者之習見，不敢明揚而推廣之，殊爲遺憾。因此而使後世學者，不知中國文化主流之一之道家學術思想爲何事，僅以老子、莊子、列子等數人學說，卽以概道家學術之全體，豈但貽人淺陋之譏，實亦不悉周秦以前儒道本不分家之淵源脈絡，與其演變爲百家學說之因由，至爲可惜。至於清代以後之道家者流，高明之士，大都高蹈遠引，不預世務，粗淺之輩，多半孤陋寡聞，師心是用，抱殘守缺，自以鳴高，尤堪浩嘆。

然以中國往昔歷代古人，對於固有文化學術之重視，雖因見仁、見智，各有不同，而具有大胸襟，不避世俗譏議，修集道家學術思想爲一大藏，仿效印度佛教傳入中國以後之整編工作，有明正統萬曆間，相繼纂修，以千字文爲次，自天字至羣字爲彙刻舊藏之目；自英字至纓字，爲明人新續之目，總爲五千四百八十五卷，卽爲傳世之正統道藏正續編。固已將自周秦以前以迄明清爲止之五千年來，凡有關於道家學術思想之撰述，眞僞精粗，均已一併羅列俱存，使後世之人，欲窮先民學術思想之根源，以及黃帝子孫，欲瞭然於列祖列宗博大精微之思想者，確已藏集無遺。雖如長炬明燈，自來皆埋光於幽室之間，然終將有時燭照天下，透其五千年來智慧結晶之光輝於無間也。

前人保存護此一文化學術之巨帙，固已歷盡艱辛，而後世子孫能加發揚而光大之者，尤當責無旁貸。但自民國初年，由康有爲、梁啓超師弟爲之號召，促成當時大總統徐東海主銜其事，曾經影印北平白雲觀版之道藏及續藏全部以外，至今仍如闇室幽燈，隱晦不明。故有心之士，身際此時此地，當此民族文化存亡絕續之秋，寧不見義勇爲，爲之重新鑄版而闡之耶！近年以來，卽有自由出版社蕭天石先生首倡影印道藏精華中有關丹道之古本以來，今有藝文印書館嚴一萍先生，獨力具此壯志，不計成敗利鈍，毅然從事重印，豈獨爲經營而牟利？實亦泣血椎心，有不得不姑作犧牲之懷抱也。何況正當此時，又得僑居海外學者及國際友人等之鼓勵，豈可讓此中國文化之主流，湮沒而不彰乎！

然因世人不知道藏之內蘊爲何事，往往誤以畫符唸咒，捉妖拏怪之法術，卽謂此卽爲道家與道教之學術思想，卑陋淺薄如原始之巫醫而不足道者，誠爲可怪。假設道藏爲一毫無價値之叢書，試想歷三千年來我輩之先賢，皆爲有目無珠，胸無點墨，而盲然爲此者乎？積數千年前人學者之累積，而不經悉心研究閱讀，動輒斥爲卑陋，恐貽識者有非狂卽愚之誚矣！寧不見每當國家板蕩之秋，若千命世之才，其匡時救世之韜略兵機，陰陽鈎距，縱橫捭闔，建功立業而措變亂於安定者，靡不學宗道術，德操中和，重如伊尹、姜尙、張良、孔明、以及劉秉忠、姚廣孝、劉基等輩，此皆彰明較著者；他若功成身退，沒世而名不稱者，比比皆有。至如南面君人之術，無爲至治之道，若不知黃老之學，未有成功而不敗者。故須略加說明其內容，望吾民族國人與國際人士之有明見者，應當更加珍惜而推廣流傳之。上則可以對先民及吾列祖列宗在天之靈，下則使我後世人類之子孫，或可由此藏帙中溫故而知新，藉得啓發而光大之，對於人類生存之未來大計，將大有俾益矣。

蓋道藏中所列諸經，汪洋淵博，祇須去其宗教神話色彩之外衣，則可由此瞭解東方古代文化思想中，對於宇宙形而上之形成萬物根元，早已另有發現。此則凡研究東西方哲學與宗教之士，不得不讀。

其中有關於天文推步，日月星宿運行之原理與現象，要亦爲東方原始天文氣象學之淵源。故凡研究天文學說，以及瞭解印度、阿拉伯與中國天文之溝通者，不得不讀。

其中有關於陰陽術數，五行八卦，奇門遁甲等學。故凡研究奇術異能者，此中尤多原始淵府，不得不讀。

其中有關於河瀆名山，神仙洞府，則爲中國三千年前對於地球物理之基本觀念。故研究自然科學如地球物理，欲參考先民遠見之資料者，不得不讀。

其中有關於五金八石，燒鉛煉汞，擣藥凝丹，則爲三千年前人類遠祖之化學端緒。故研究藥物化學與礦物學者，不得不讀。

其中有關於靈芝奇卉，本草仙葩，足以治療身心壽命；故研究中國醫藥以及醫學與藥物發展史者，不得不讀。

其中有關於符籙咒術，神通天人之際。故研究三千年前中國音聲瑜伽，與印度梵文，以及埃及符籙之關係，與乎催眠術與心靈學者，不得不讀。

其中有關於修身養性，志存長生不老之仙道，坎離交媾，蛇女嬰兒會合，河車旋運，九轉丹成等。故研究神仙丹道者，不得不讀。

其中有關於堪輿風水，奇門擇日，九宮紫白等術。故研究山川地理，與地質學、氣象學者，不得不讀。

其中有關於日月奔璘，飛騰變化。故研究三千年前中國學術思想之追求太空宇宙，與探尋其他星球之理想者，不得不讀。

至若研究周秦以前儒道同根之源頭，與欲瞭解漢魏以下，佛敎思想傳入中國以後，其與固有儒道學術之溝通蹤跡，對於中國文化儒、佛、道三家之匯通者，尤其不可不讀。

此皆擧其犖犖大者而言，其他如窮究東方神秘世界之玄妙，與乎人類原始神人思想之學術，語多怪異，文多奇詭者，尤其難以盡述。至如文章奇麗，詞藻清新，瑤苑琳臺，霞迷雲擁，其爲想像難聞者，則爲道家文學之特質，不待介說可知。今卽約略言之如上，可知道家學術思想所形成兩漢以後之道敎原因，並非無故。蓋因秦漢以後，因人文思想獨攬社會風氣之大權，將此五千年來固有傳統之有關於物理世界之學術思想，一概摒棄，故惟如神龍見首而不見其尾，但能附形寄影於宗教外衣之下而建立依存於道教之中，寧非我民族國家文化學術上一大不幸與一大遺憾者乎！是故望天下有心人，應當共同奮起，加以推廣，藉以保此先民文化，與我國歷史傳統文化之巨帙，俾使其與四庫、佛藏，同輝千古，實為無量功德，豈僅為吹噓藝文印書館為文化服務之徵徵哉！是為啓。（南懷瑾）

老古文化事業股份有限公司

圖書訂購單（信用卡專用）

北市 106 金山南路二段 141 巷 1 號 1 樓　　服務專線：(02)2396-0337
24 小時傳真：(02)2396-0347　　訂購日期：____年____月____日

姓名：________________ 電話：(公司)______________(住宅)________________
地址：____
發票種類：□二聯□三聯　發票抬頭：______________　統一編號：____________

編號	書　名	數　量	定價	小　計

◎目錄上之定價已含 5%加值營業稅。
◎台灣掛號郵資統一爲 NT. 50。
◎其他地區郵資（航空方式寄書）：
（依所在地區計算，若未足基本費則以基本費計）
亞洲地區：書款 x 0.55（基本郵資 270 元）
美加地區：書款 x 0.7（基本郵資 450 元）
歐洲地區：書款 x 0.75（基本郵資 500 元）

書款合計	NT.
各地郵資計算方式 □台灣郵資（書款合計+NT. 50） □其他地區郵資（參照左側說明）	
總　計	NT.

信用卡基本資料：商店代號：______________　授權碼：____________

信用卡別：□VISA　□MASTER　□JCB　□聯合信用卡　發卡銀行：____________
信用卡號：□□□□　□□□□　□□□□　□□□□
信用卡有效期限：西元________年____月____日止（請務必填寫）
身分證字號：________________________

持卡人簽名：________________________

（持卡人同意依照信用卡使用約定，一經使用訂購商品，均應按所示之全部金額，付款予發卡銀行，並同意以傳真或影印方式訂購產品，所填之影本及傳真內容具有法律效用。）

＊請放大影印填寫

購 書 辦 法

台灣地區

1.郵政劃撥

國內僅收掛號費五十元，其餘郵資由本公司負擔，約七到十個工作日可收到書。

郵政劃撥帳號：0159426-1　　戶名：老古文化事業股份有限公司

2.電腦網路線上訂購

由本公司委託郵局送件與收款，郵差先生所收取款項除書款外，加須上郵資與代收手續費共一百元整。

老古首頁：http://www.laoku.com.tw　　電子郵件信箱：laoku@ms31.hinet.net

3.信用卡訂購單

填寫信用卡專用訂購單後，請利用傳真專線回傳本公司，款項另須加上郵資（國內掛號郵資 50 元，海外地區請參照「其他地區」之說明）

傳真專線：（國內）02-2396-0347　（國外）886-2-2396-0347

4.親至門市購書

門市地址：10642 台北市金山南路二段 141 巷 1 號 1 樓

電話：02-2396-0337　　傳真：02-2396-0347

營業時間：上午 11:00~下午 6:00

其他地區

1.其他地區訂戶可利用信用卡及電匯方式購書，一律採用航空方式寄書，如需用其他方式請註明。視地區、重量之不同，郵資計算方式如下（若未足基本費則以基本費計算）：

亞洲地區：書款 x 0.55（基本郵資 270 元）

美加地區：書款 x 0.7 （基本郵資 450 元）

歐洲地區：書款 x 0.75（基本郵資 500 元）

請多利用信用卡表格訂購，如使用電匯，戶名如下：

戶名：老古文化事業股份有限公司　　Lao Ku Culture Foundation Inc.

銀行：華南銀行信義分行

Hua Nan Commercial Bank, LTD.

International Banking Department (Shin Yih Branch)

外匯帳號：119100034698

銀行地址：No. 183, Sec. 2, Shin-Yi Rd., Taipei, Taiwan, R.O.C.

2.其他代理

香港——青年書局　　電話：2564-8732　地址：香港北角渣華道 82 號 2 樓

上海——上海金粟閣圖書公司　　電子郵件信箱：loakubchina@yahoo.com.cn

電話：8621-54046219／8621-54046220

地址：上海市長樂路 504 號　　郵編：200040

Q1908-3	五方佛圖　(15×22 公分)	10
Q1909	三界天人表	100
Q1912	白骨禪觀圖 (15×22 公分)	25
Q2003	雍正皇帝與密摺制度	200
Q2104	値得深思 (楊正民著)	220
Q2106	大地兒女 (楊正民著)	180
Q4101	讓生命活得寧靜又熱情 (廖志祥講述・唐思群整理)	180

三．兒童智慧開發

S180101-36	兒童中國文化導讀 (注音誦讀本) 1 至 36 冊	
	1 - 3 冊、16 - 36 冊 (注音誦讀本，附誦讀 CD)	150
	4 – 15 冊 (注音誦讀本)	60
	（全套 36 冊已出版完畢，將陸續製作誦讀 CD 補齊冊次）	
S181201-06	兒童中國文化導讀 (羅馬拼音誦讀本) 1 至 6 冊	60
S1814	南老師的話	20
S18151	西方文化導讀 (一)　(附誦讀 CD 及中文譯文)	250
S18152	西方文化導讀 (二)　(附誦讀 CD 及中文譯文)	250
S18153	西方文化導讀 (三)　(附誦讀 CD 及中文譯文)	250
S18154	西方文化導讀 (四)　(附誦讀 CD 及中文譯文)	250
Q3101	幫孩子找到心靈寧靜的角落－幫助孩子靜定的活動設計	260
Q3102	兒童與經典導讀 (ICI 香港國際文教基金會編著)	160
Q3103	幫助孩子靜定的活動設計 (有聲書)	280
Q3104	你有「禮」嗎？－兒童 & 禮儀	260
W7807	歷史的五字經－鑑略 (含誦讀 CD)	280
W7809	給我一個角落悲傷－幫孩子找到心靈放鬆的出口	280

◆ 圖書一經售出，除缺頁、裝訂錯誤外，恕不接受退還

◆ 本目錄之書目及價格如有變動，概以最新資料爲準

◆ 大量訂購另有優惠，歡迎讀者來電洽詢

Q1405	八賢手扎 (曾國藩等著)	120

修養叢書

Q1502	菜根譚前後集 (明、洪自誠著)	120
Q1503-A	原本菜根譚 (明、洪應明著)	150
Q1505	醉古堂劍掃 (明、陸紹珩著)	200
Q1506	了凡四訓新解(周勳男)	250

天文星相

Q1602	古本麻衣相法 (附冰鑑) 清、丘宗孔編	260
Q1603-A	實用相術口訣真傳・達摩一掌金	220
Q1604	實用未來預知術 (諸葛亮著)	180
Q1605	揭開黃曆的秘密 (蔡策著)	170
Q1606	易經星命與占卜 (朱文光著)	200

醫學拳術

Q1701	增廣驗方新編 (清、鮑相璈撰)	240
Q1702	針灸技術圖經穴清明圖合編 (林介元編)	150
Q1706	氣覺與氣功 (姚貞香著)	200
Q1707	氣功防治心血管疾病 (王崇行編)	220
Q1708	本草備要	200
Q1709	紅燈邊緣話長生—血管病的最新認識 (董玉京著)	200
W4102	茶熏－減肥與養生新法 (金堯炫著)	350

其他

Q1803	唐圭峰定慧禪師碑	350
Q1804	石陣鐵書室丙辰日誌摘鈔	300
Q1806	準提鏡壇 (鍍金) 修持專用	3000
Q1807	觀音項鍊	100
Q1811	觀音聖籤(紫弇)	1000
Q1812	准提聖籤(紫弇)	1000
Q1901	藥師琉璃圖 (35×49 公分)	70
Q1904	四臂觀音圖 (56×78 公分)	120
Q1905	四臂觀音圖 (27×38 公分)	70
Q1906	準提觀音圖 (27×41 公分)	70
Q1907	準提觀音圖 (18×26 公分)	20
Q1908-1	藥師琉璃圖 (15×22 公分)	10
Q1908-2	準提觀音圖 (15×22 公分)	10

Q0909	易問 (清、紀大奎著)	280
Q0911	皇極經世書今說－觀物內篇 (閆修篆著)	300
Q0912	皇極經世書今說－觀物外篇 (閆修篆著，上下冊不分售)	700
史學		
Q1002	先秦文化史 (孟世傑著)	200
Q1003	鑑史提綱、稽古錄 (司馬光等著)	120
Q1005	清鑑輯覽 (上、下 2 本 1 套) 不分售	每套 700
Q1007	25 史彈詞 (楊升庵著)	120
Q1008	清代名吏判牘七種彙編 (襟霞閣主編)	300
Q1009	四書人物類典串珠 (臧志仁著)	280
Q1010	崇禎十七年 社會動盪與文化變奏 (余同元著)	380
國學入門		
Q1101-A	國學初基入門	180
Q1102-A	增訂繪圖幼學瓊林 (清、程允升編著)	200
Q1103	四書白話句解 (王天恨述解)	250
古典小說		
Q1202	精印三國演義 (上、中、下 3 本 1 套) 不分售 (羅貫中著、金聖嘆批鑑定)	每套 800
Q1203	西遊原旨 (上、下原西遊記) 悟元子評釋	500
Q1204	後西遊記 (天花才子評點)	240
Q1206	中國皇帝遊樂生活 (向斯著)	200
詩詞文集		
Q1301	一日一禪詩 (焦金堂選輯)	180
Q1303	解人頤 (清、錢謙益編)	150
Q1304	諧鐸 (清、沈起鳳著)	100
Q1305	清詩評註 (王文濡)	140
Q1306	清文評註 (王文濡)	120
Q1307	漪痕館新詞譜	140
Q1308	日本戰後的史詩 (木下彪著)	150
Q1311	袖珍詩韻 (新安未老人輯著)	120
Q1312	袖珍檢韻 (清、姚文登輯)	150
Q1314	初潭集 (李贄著)	120
古人書信日記		
Q1404	金聖嘆才子尺牘 (金聖嘆著)	200

Q0504	續指月錄禪詩偈頌 (編輯部)	180
Q0505	禪門日誦	200
Q0506	佛法要領、永嘉禪宗集 (唐、大珠禪師等著)	150
Q0507	高峰妙禪師語錄	120
Q0508	參學旨要	160
Q0509	東坡禪喜集 (明、徐長孺輯)	120
Q0510	六妙法門 (隋、智顗大師述著)	150
Q0511	雍正與禪宗	250
Q0512	佛說入胎經今釋 (南懷瑾指導、李淑君譯著)	270
Q0513	悅心集 (清、雍正選集)	200
Q0514	慈悲水懺法譯注 (白金銑著)	350

密宗典籍

Q0601	準提修法顯密圓通成佛心要	250
Q0602	密教圖印集 (第一集)	300
Q0603	密教圖印集 (第二集)	200
Q0605	藏密氣功 (中國藏密氣功研究會編)	220

人物傳記

Q0701	憨山大師傳、密勒日巴傳記 (福善記錄惹穹多傑札把著)	200
Q0704	我的努力與反省 (梁漱溟 著)	300
Q0705	我是怎樣學起佛來 (周夢蝶等著)	280
Q0706	周瑞金的迴腸盪氣集 (周瑞金著)	300
Q0707	舊時代新女性－袁曉園的故事 (劉雨虹著)	200

政治謀略

Q0803	三國演義的政治與謀略觀 (毛宗崗批)	200
Q0804	水滸傳的政治與謀略觀 (金聖嘆批註)	200
Q0805	宦鄉要則 (清、宦鄉老人撰)	150
Q0806	康濟錄 (清、陸曾禹著)	160
Q0807	從政典範集 (宋、李邦獻著)	160
Q0808	典林瑯環	200

經學論著

Q0901	道德經釋義 (林雄著)	150
Q0902-A	善本 (易經) 朱熹註	180
Q0907	周易圖經廣說 (上冊圖說) (下冊經說) 清、萬年淳著 (不分售)	520
Q0908	觀易外編 (清、紀大奎著)	280

二．其他各種圖書

人文文庫

Q0201	縵餘隨筆（孫毓芹著）	150
Q0202	習禪散記（編輯部著）	220
Q0203	禪、風水及其他（劉雨虹著）	200
Q0205	西方神密學（朱文光著）	180
Q0208	美國的民主與情報（朱文光著）	120
Q0210	老人心理學（周勳男著）	120
Q0213	心聲集（王道著）	100
Q0214	人是上帝造的嗎（張瑞夫著）	240
Q0215	人性是甚麼（牛實爲著）	200
Q0218	蘇格拉底也是大禪師（包卓立著）	220
Q0221	超心理學(艾畦著)	380
Q0222	人心與人生(梁漱溟著)	300
Q0223	朝話（梁漱溟著）	250
Q0224	菩提一葉（李家振著）	320
Q0225	心靈病房的十八堂課（張明志醫師著）	250

佛法經藏

Q0302	佛學大綱（精裝本）	360
Q0303	呂澂佛學名著（呂澂著）	350
Q0401	維摩詰經集註（李翊灼校輯）	300
Q0402-P	金剛經五十三家集註（明、永樂皇帝編）	180
Q0403	解深密經（唐、玄奘法師譯）	100
Q0404	圓覺經直解（明、憨山大師著）	180
Q0407	藏要(歐陽竟無主編) 16K 精裝本 20 本一套　（定價 12,000）特價	6,600
Q0409	成唯識論（唐、玄奘法師譯）	240
Q0410	大乘百法明門論（明、釋廣益纂註）	240
Q0412	楞伽經會譯（宋天竺三藏求那跋陀羅等著）	320
Q0416	佛律與國法（勞政武著）	600

禪宗典籍

Q0501	雍正御錄宗鏡大綱（上、下 2 本 1 套）不分售 （雍正皇帝選錄、永明壽禪師著）　每套	400
Q0502	水月齋指月錄（上、下 2 本 1 套）不分售（明、瞿汝稷編）	1,000
Q0503	指月錄禪詩偈頌（編輯部）	180

Q7501-P	維摩精舍叢書 (精裝本)	320
Q7502	如何修證佛法	360
Q7503	靜坐修道與長生不老	250
Q7505-A	一個學佛者的基本信念	220
Q7506-A	定慧初修	200
Q7508-P	習禪錄影 (平裝本)	320
Q7510	禪觀正脈研究	220
Q7516-A	現代學佛者修證對話（上）	350
Q7516-B	現代學佛者修證對話（下）	350

南懷瑾先生附記

Q0216	南懷瑾談歷史與人生 (練性乾編)	250
Q0217	南懷瑾與金溫鐵路 (侯承業編記)	280
Q0702	懷師—我們的南老師 (編輯部)	240
Q0703	禪門內外—南懷瑾先生側記 (劉雨虹著)	480
Q7406	佛法禪修參行、神仙道學旨要(合刊)南懷瑾選輯、王鳳嶠恭書	200
Q7507-A	觀音菩薩與觀音法門	240
Q7511-A	參禪日記初集 (金滿慈著、南懷瑾批)	260
Q7512-A	參禪日記續集 (金滿慈著、南懷瑾批)	260
Q0220	南懷瑾詩話	480
Q7601	筆記書 – 覺	180

不老古系列

Q7801	不老古系列—南懷瑾談生活與生存	200
W7802	不老古系列—南懷瑾談心兵難防	200
W7803	南懷瑾講述論語中的名言	300
W7805	南懷瑾答問集	200
W7808	南懷瑾講述莊子中的名言智慧	220
W7810	南懷瑾講述老子中的名言智慧	220
W7811	南懷瑾談領導的藝術	200
W7812	南懷瑾談性格與人生	200
W7813	格言聯璧摘錄 (清・金蘭生編)	200

南懷瑾全集(精裝珍藏版) 台灣限量 100 套

Q7001	全集收入南先生迄至 2001 年所著的三十種著作，以及相關附集，合併爲二十七冊，印刷精美，可謂書中極品；全集按出版時間順序編排，今後南先生的新作亦按出版時間編入此集。	26,100

一．南懷瑾先生著作系列

書號	書　名	定價(NT$)
Q7101AP	論語別裁（上冊、平裝本）	300
Q7101BP	論語別裁（下冊、平裝本）	300
Q7102-A	論語別裁（精裝合訂本）內頁採用聖經紙	750
Q7103-P	孟子旁通（平裝本）	280
Q7104-P	老子他說（平裝本）	320
Q7105	易經雜說	260
Q7106	易經繫傳別講（上傳）	300
Q7107	易經繫傳別講（下傳）	200
Q7108C	原本大學微言（上）	280
Q7108D	原本大學微言（下）	250
Q7109	莊子諵譁（上下冊不分售）	780
Q7201	新舊的一代	150
Q7202-A	歷史的經驗（一）	250
Q7204-A	中國佛教發展史略述	250
Q7205	中國道教發展史略述	220
Q7206	中國文化泛言（序集）	220
Q7207	金粟軒詩詞楹聯詩話合編	160
Q7208	金粟軒紀年詩初集	200
Q7301AP	楞嚴大義今釋（平裝本）	400
Q7302AP	楞伽大義今釋（平裝本）	320
Q7303	金剛經說甚麼（2000年新訂版）	300
Q7304-A	圓覺經略說（2000年新訂版）	300
Q7305-A	藥師經的濟世觀（2000年新訂版）	280
Q7306	布施學毘耶娑問經—附錄南懷瑾先生選講	200
Q7307	花雨滿天 維摩說法（上下冊不分售）	1200
Q7401-P	禪海蠡測（平裝本）	270
Q7402-A	禪話	220
Q7403-P	禪與道概論（平裝本）	280
Q7404	禪宗叢林制度與中國社會	100
Q7405	道家密宗與東方神秘學	270
Q7408	南懷瑾與彼得・聖吉	220